黄河國家治理文獻集成（民國卷）第五册

《黄河國家治理文獻集成》編委會　編

總第六十九册

豫河志

（四）

吴篔孫　編

董杰　編

內蒙古出版集團
內蒙古人民出版社

圖書在版編目（CIP）數據

豫河志．四 / 吴篔孫，董杰編．-- 呼和浩特 ：內蒙古人民出版社，2025．8．--（黄河國家治理文獻集成）．-- ISBN 978-7-204-18449-1

Ⅰ．TV882.1

中國國家版本館 CIP 數據核字第 2025QS9283 號

豫河志（四）

吴篔孫　編

編　　者　董　杰
策劃編輯　王　瑶
責任編輯　王曉俊
裝幀設計　劉那日蘇　吉　雅　安立新
責任監印　包鐵柱
出版發行　內蒙古出版集團　內蒙古人民出版社
地　　址　呼和浩特市新城區中山東路 8 號波士名人國際 B 座 5 層
網　　址　http：//www.impph.cn
印　　刷　內蒙古愛信達教育印務有限責任公司
開　　本　880mm×1230mm　1/16
印　　張　16.25
字　　數　180 千
版　　次　2025 年 8 月第 1 版
印　　次　2025 年 8 月第 1 次印刷
印　　數　1—1000 册
書　　號　ISBN 978-7-204-18449-1
定　　價　138.00 元

編纂委員會

主　　任　陳利保

副 主 任　周承英　吴義學　王　瑶

成　　員　賈大明　何可欣　董立群　羅　婧　王曉俊　董麗娟
白　玲　特日格勒　徐　飛　李月琪　王麗燕　李　琳

主　　編　董　杰

副 主 編　張曉東　曹　玲

委　　員（按姓氏筆畫排序）
王　丹　王智慧　王鑫義　白胡日查　朱紫陽　李　萌
李新蕊　姚亞菲　陳　思　曹佳興　梁芹洋　張文文
張　岩　張博原　張　祺　張曉英　喬恩懋　賀　莎
楊　怡　楊建國　楊　承　霍燕平　魏雪剛

引言

千古河流成沃野，幾年沙勢自風湍。

得益于黄河冲積所帶來的疏松土質和有機物，中華先民利用石製工具開始了農業生産，并逐步發展出旱地粟作農業，『能够最大程度保障食物供給的穩定性，奠定了中華文明起源和形成的堅實基礎』〔一〕。而利用河水灌溉，提高區域可預測農業産量，『在産業史上起着最有决定性的作用』〔二〕。隨後，技術進步、經濟發展、人口增加，讓先民的文化生活大爲豐富。嚴文明先生評價道：『這是一場影響深遠的革命。』〔三〕在這場革命中，平衡水、沙、産、人四者之間的關係，始終是黄河治理的核心問題。四者關係一旦失衡，就容易引發諸多灾患。

歷史上，黄河下游因人口稠密、經濟發達，一直是學術界關注的重點。但自河源至今内蒙古托克托縣河口鎮的黄河上、中游區域，雖遠離王畿，人口稀疏，却也一直備受關注，人們逐步認識到黄河全流域治理是國家的重要任務。《漢書》載：『堤防之作，近起戰國，雍防百川，各以自利。』〔四〕没有全流域的協同治理，僅靠各地分段築堤，則黄河河患無法解决。秦建立了中國歷史上第一個中央集權大一統王朝，秦始皇東巡碣石，刻石銘記『决通川防，夷去險阻』〔五〕，開啓中央政府調動各要素治黃之先河，這『在中國，實質上是國家的一種職能』〔六〕。同時，國家通過對黃河的有效治理，爲沿黃流域人民群衆乃至其他地區人民群衆提供了重要的公共物品和産業支撑，成爲人民群衆眼中中央政府的功過評價指標之一。因此，治黃在增强沿黃各族群國家、政治、文化認同的基礎上，强化了中國大一統國家的合法性，成爲歷代國家治理能力的一個重要測度。

一、黃河治理維護了國家的社會穩定

從秦并六國到漢朝建立大一統國家，中國統一的多民族國家形成并得到初步發展。當時中央政府對所轄疆域有『北邊郡』和『内郡』之稱。内蒙古額濟納旗出土的居延漢簡有載，『貇（墾）田以鐵器爲本北邊郡毋鐵官印器内郡令郡以時博賣予細民毋令豪富吏民得多取販賣細民』，可以看出北邊郡是與内郡相對應的行政管轄區域。《史記》卷二十八『封禪書第六』載：『上乃遂去，並（并）海上，北至碣石，巡自遼西，歷北邊至九原。』〔七〕。《史記》卷三十『平準書第八』載：『天子北至朔方，東到太山，巡海上，並（并）北邊以歸。』〔八〕司馬遷多次提及北邊，足見統治者對北邊治理的重視。

漢武帝時，齊人延年提出從今内蒙古引黃河水經今北京一帶，向東注入渤海，以衛北部邊疆。『是時方事匈奴，興功利，言便宜者甚衆。齊人延年上書言：「河出昆侖，經中國，注勃海，是其地勢西北高而東南下也。可案圖書，觀地形，令水工準高下，開大河上領，出之胡中，東注之海。如此，關東長無水災（灾），北邊不憂匈奴，可以省隄（堤）防備塞，士卒轉輸，胡寇侵盜（盗），覆軍殺將，暴骨原野之患。天下常備匈奴而不憂百越者，以其水絶壤斷也。此功壹（一）成，萬世大利。』[九]《史記》卷二十四『樂書第二』載：『天馬來兮從西極，經萬里兮歸有德。承靈威兮降外國，涉流沙兮四夷服。』[十]如今，包頭地區出土了『四夷盡服』瓦當，出土文物與傳世文獻的呼應，成爲黄河治理維護祖國北部邊疆穩定的見證。

《史記》卷三十『平準書第八』載：『嚴助、朱買臣等招來東甌，事兩越，江淮之閒（間）蕭然煩費矣。唐蒙、司馬相如開路西南夷，鑿山通道千餘里，以廣巴蜀，巴蜀之民罷焉。彭吳（吴）賈滅朝鮮，置滄海之郡，則燕齊之閒（間）靡然發動。及王恢設謀馬邑，匈奴絶和親，侵擾北邊，兵連而不解，天下苦其勞，而干戈日滋。』[十一]清代《汾陽縣志》卷十三『藝文』收録曹學閔《開修黄蘆嶺車路紀德政碑記》，上載：『永寧州，界連西陲，北達邊外歸綏諸路，商賈遠貿粟麥，泛皮船隨黄流南下，聚于州西磧口，一府之民仰利賴焉。而東至太原，南抵平陽，州縣凡二十餘，亦視汾爲橐鑰，蓋所繫非特一方生計矣。』[十二]民國時期，東北淪陷後，開發西北刻不容緩，而『黄河中游之水利，自應加以擴充及整理，藉（借）收桑榆之效，以挽狂瀾於（于）萬一』[十三]。

因黄河流域自然條件優越，歷朝歷代都十分重視對此地的開發，通過强有力的國家干預方式推動各類産業的發展，爲中國北部疆域的形成和社會穩定奠定了基礎。

二、民族交往、物資交流、技術轉移促成黄河治理共同體

《史記》卷十五『六國年表第三』載：秦始皇三十三年（前214），『築長城河上，蒙恬將三十萬』〔十四〕。這數十萬人中，擁有一技之長的人員不在少數。由此，邊地人口不斷增多，而豐富的物産則促進了商品交流與統一市場的形成。西漢《鹽鐵論·力耕第二》記録了『异物内流』的情形：『是以贏（騾）驢馲駞（駝），銜尾入塞，驒騱騵馬，盡爲我畜，鼲鼦狐貉，采旃文罽，充於（于）内府，而璧玉珊瑚瑠（琉）璃，咸爲國之寶。』〔十五〕此後，黄河北岸的『贏（騾）驢馲駞（駝）』『驒騱騵馬』『鼲鼦狐貉』『采旃文罽』與西南織錦、中原麻織、農作物等物資相互交流，逐步形成統一的國内大市場，加强了邊疆與其他地區的經濟聯繫，促進了邊疆特色産業的發展。

隨着民族交往交流交融的增强，清代以降，黄河流域内蒙古段輸入到内地的也不僅僅是『异寶』了。《綏遠通志稿·水路》載：『自乾隆以還。口外墾殖日廣。民殷物阜。出境之油、糧、鹽、鹼（碱）、甘草各貨。入境之日用雜貨。山西與歸綏往來之商運。凡經河路者皆以托屬河口爲唯一之碼頭。』〔十六〕從清乾隆年間到民國時期，由内蒙古經黄河運到山西的貨物有糧、油、鹽、碱、藥材、皮毛等，其中以糧油爲最大宗。糧食品種主要有糜黍、穀子、高粱、豆類及玉米、大小麥

等，油料主要是胡麻。內蒙古供貨支綫有從阿拉善盟阿拉善左旗吉蘭泰鹽池到山西吕梁市磧口鎮的運鹽駝路，五原縣、臨河區一帶各大幹渠的運糧水道，杭錦旗、達拉特旗的甘草馱運綫，鄂托克旗的運碱駝路。內蒙古段各條支綫以供貨爲主，山西段若干支綫以運銷爲主。

《臨縣志》載：『清朝乾隆至民國年間，陝、甘、綏、蒙等地的物資，通過此航綫運達磧口，再用牲口馱運到離石、吴城，轉運至東路（汾、平、介、孝等縣）。據民國 20 年（1931）統計，每年從綏遠磴口航至磧口的貨船不下 4000 餘艘』，『是陝、甘、綏、寧與晋西北物資集散之重鎮』。〔十七〕可見，內蒙古在甘肅、寧夏與陝西、山西等沿黄上下游物資交易中起到了重要的聯結作用；同時也吸引了山西、陝北、河北、山東、甘肅等地的農民遷移至此，并將開渠打壩、引水澆地等農業生産技術、手工技術和商業貿易經營方式帶到這裏。他們在此扎根，除了從事農業生産外，還挖甘草、下窑背炭、在黄河上拉船、在沙漠中拉駱駝、打短工放冬羊、開碾磨油坊，等等。不同地域、不同民族的人們合力修築河渠、引水興業，逐漸形成休戚與共的共同體。其間積纍的産品交易、商業管理、社會治理等方面的經驗，在今天依然有借鑒意義。

清代『首重治河，探河源以窮水患』〔十八〕，但更深層次的考量是『宣揚大一統及增强國家認同』〔十九〕。黄河流域人口基數大、分布廣，而全流域治理理念將不同地區、不同民族的人們凝聚成命運共同體，而『大一統』理念正是這一治理實踐的核心主題。

三、黄河流域拓展了中國的發展空間

早期統治者因巡幸及邊防建設所需，統籌管理沿黄河運與秦直道等沿黄馬道，維持着中央政府對北邊的有效治理。河套平原引黄渠道的建設爲秦漢王朝屯田事業提供了基本的水利保證，并將這些區域變成防禦北部邊患的大後方與根據地。于是，沿黄馬道、沿黄河運與萬里茶道、草原絲路等陸路運輸聯通起來，促進了中華文明與其他文明的交流互鑒，拓展了新的發展空間。

新中國成立之後，沿黄各族兒女在中國共産黨的領導下團結合作、艱苦奮鬥，實現了大河安瀾。黄河流域建立起行之有效的防洪抗汛機制，支撑着沿岸的産業發展，改善了周邊生態環境。當代治黄史證明，正是由于中國共産黨的正確領導以及集中力量辦大事的制度優勢，纔從根本上減輕了河患的威脅。進入新時代，黄河流域在築牢安瀾根基的同時，以蓬勃活力拓展着中國的發展空間。沿黄九省區在協同發展中不斷釋放潛力，讓黄河流域成爲國家區域協調發展戰略中不可或缺的重要一極，爲中國的發展源源不斷地注入新動能。

綜上所述，黄河流域的治理不是單純的河道治理、生態環境治理或社會治理，而是一種關涉水、沙、産、人四者關係的系統性、協同性治理，是推動國家可持續發展的動力，也是厘清國家治理與邊疆治理兩者動態交互實際效果的絶佳視角。而黄河工程等『中國本土理論資源、學術積釁』〔二十〕，有助于研究國家治理的演進歷程。進入新時代，黄河治理與國家治理的關係研究不斷開闢新視角、持續涌現新成果，其中鑄牢中華民族共同體意識、邊疆治理與黄河流域生態保護和高質量發展成爲非常重要的研究視角。因此，基于這一角度搜集整理黄河國家治理文獻，意義重大。《黄河國家治理文獻集成》，應運而生。

本叢書系統梳理了黄河治理的歷史脉絡與經驗，既爲新時代黄河流域生態保護和高質量發展提供了歷史鏡鑒，更以文獻爲載體，傳承了治理智慧、凝聚了民族力量，是服務國家發展戰略、鑄牢中華民族共同體意識的重要學術實踐。

《黄河國家治理文獻集成》編委會

二〇二五年一月

〔一〕韓建業：《中華文明的起源和形成》，載《中華民族共同體研究》2022 年第 4 期，第 80-91+172 頁。

〔二〕中共中央馬克思恩格斯列寧斯大林著作編譯局：《馬克思恩格斯選集》第二卷，人民出版社，2014 年，第 240 頁。

〔三〕嚴文明：《黄河流域文明的發祥與發展》，載《華夏考古》1997 年第 1 期，第 49-54+113 頁。

〔四〕（漢）班固：《漢書》卷二十九『溝洫志第九』，中華書局，1964年，第1692頁。

〔五〕（漢）司馬遷：《史記》卷六『秦始皇本紀第六』，中華書局，1963年，第252頁。

〔六〕冀朝鼎：《中國歷史上的基本經濟區與水利事業的發展》，朱詩鰲譯，中國社會科學出版社，1981年，第7頁。

〔七〕（漢）司馬遷：《史記》卷二十八『封禪書第六』，中華書局，1963年，第1398–1399頁。

〔八〕（漢）司馬遷：《史記》卷三十『平準書第八』，中華書局，1963年，第1441頁。

〔九〕（漢）班固：《漢書》卷二十九『溝洫志第九』，中華書局，1964年，第1686頁。

〔十〕（漢）司馬遷：《史記》卷二十四『樂書第二』，中華書局，1963年，第1178頁。

〔十一〕（漢）司馬遷：《史記》卷三十『平準書第八』，中華書局，1963年，第1420–1421頁。

〔十二〕（清）方家駒修，（清）王文員纂：《汾陽縣志》卷十三『藝文』，清光緒十年刻本，第57–58頁。

〔十三〕王華棠、劉錫彤、吴樹德：《黄河中游調查報告》，華北水利委員會編印，1934年，第1頁。

〔十四〕（漢）司馬遷：《史記》卷十五『六國年表第三』，中華書局，1963年，第758頁。

〔十五〕王利器：《鹽鐵論校注》，中華書局，1992年，第28頁。

〔十六〕綏遠通志館：《綏遠通志稿》第十册，内蒙古人民出版社，2007年，第176頁。

〔十七〕臨縣志編纂委員會：《臨縣志》，海潮出版社，1994年，第273、321頁。

〔十八〕趙爾巽等：《清史稿》卷一二六『河渠一』，中華書局，1977年，第3715頁。

〔十九〕劉惠：《乾隆朝重構黄河河源的實踐與國家認同》，載《清華大學學報》（哲學社會科學版）2018年2期，第147–154+195頁。

〔二十〕許耀桐：《當代中國『治理』概念的演進探析》，載《國家現代化建設研究》2023年3期，第100–111頁。

出版前言

黄河，中華民族的母親河，她不僅孕育了中華文明，更見證了中華民族數千年的發展歷程。習近平總書記深刻指出：『從某種意義上講，中華民族治理黄河的歷史也是一部治國史。』這一重要論述，爲新時代黄河文化的保護傳承以及流域治理提供了根本遵循，也深刻揭示了黄河治理在國家發展和民族復興進程中的核心地位。在學習貫徹習近平新時代中國特色社會主義思想，積極響應國家黄河流域生態保護和高質量發展重大戰略，大力推進北疆文化建設的背景下，《黄河國家治理文獻集成》的編纂出版，具有重要的歷史意義、學術價值與現實指導意義。

黄河治理，自古以來就是國家的頭等大事。從遠古時期大禹治水，到當代運用科學技術進行系統治理，中華民族在數千年的時間裏，積纍了豐富的治河經驗，留下了浩如烟海的文獻遺産。《黄河國家治理文獻集成》收録了元代至民國時期古籍、朱批奏摺、期刊圖片等多模態文獻資源。這些文獻内容豐富、維度多元，既包含記載河工技術、治理方略等的專書，又有漢文朱批奏摺、工程檔案以及不同區域的調查研究報告等。民國時期的文獻則標志着現代水利科學開始融入黄河治理，展現了我國水利事業在時代變革中的創新與發展。近代照片的收録則以更加直觀的方式將黄河治理、黄河沿岸的風貌呈現給讀者。

該文獻的出版，不僅是對瀕危黄河文化遺産的及時搶救與保護，更是對我國水利史、國家治理史、邊疆治理研究學術鏈條的重要補充，具有較高的文獻價值和學術意義。尤爲重要的是，這一集成工作，深度契合鑄牢中華民族共同體意識這一全黨全國各族人民的共同任務。各民族在治理黄河的歷史進程中，緊密協作、共同探索，這些珍貴文獻便是各民族交往交流交融和中華文明認同的生動見證。對這些文獻進行整理出版，能够讓各族人民更加深刻地認識到，在歷史長河中，各民族共同爲黄河治理貢獻了力量，共同守護了家園，從而進一步增强對中華民族共同體的認同感與歸屬感，夯實鑄牢中華民族共同體意識的歷史根基。

《黄河國家治理文獻集成》以『國家治理』爲核心綫索，構建起一個全面、系統、多維的文獻體系：在時間跨度上，聚焦從元代至民國這一傳統治河向現代水利轉型的歷史時期，爲深入研究我國水利事業的發展脉絡提供了清晰的時間坐標；在内容分類上，細緻劃分爲技術專著、工程檔案、區域研究、朱批奏摺、科學報告、圖片等類别，涵蓋黄河治理的各個方面，從不同角度展現了我國在黄河治理上的探索與實踐；在版本選擇上，秉持嚴謹、科學的態度，確保文獻内容的準確性與代表性，爲學術研究奠定堅實基礎。

在編纂過程中，叢書特别注重『全流域治理』的理念，不僅收録了有關下游防洪治河的重要文獻，還涵蓋了中游地區水土保持以及上游地區灌溉開發等方面的珍貴記載。這種對黄河全流域治理的全方位關注，與當前『共同抓好大保護，協同推進大治理』的要求高度契合，充分體現了叢書在傳承歷史文化遺産的同時，緊密服務于當代國家發展戰略的時代價值。

在出版過程中，嚴格保持原書的版式與行款，最大程度地還原文獻原貌。對于部分出現黴變、殘缺的頁面，運用先進的數字化修復技術進行精心處理，在保留原始批注與印章痕迹的基礎上，兼顧了文物的真實性與文獻的可讀性。

此外，爲了更好地服務讀者，方便學術研究，本叢書新增了目録、提要等内容，這些新增部分由編委會精心撰寫。新增目録一般編製二級，個别圖書編製三級；原書有目録而内文無對應標題的，根據原書目録照録；原書目録爲關鍵詞或者其他情况的不編製目録；原書目録與内文不一致的，以原書内文爲準；原書無目録的，按卷端、版心或其他部分輯録；一册書中收録多種圖書的，以書名爲一級標題，編製二或三級。在文字使用上，統一使用現代漢語規範繁體字，對于原版文獻中的异體字、避諱字也使用現代規範繁體字，無對應規範繁體字的保留原字。

《黄河國家治理文獻集成》的出版，是對黄河文化遺産的一次系統性、搶救性保護，具有重大而深遠的現實意義：從學術價值層面來看，叢書成功構建起一座連接傳統與現代治黄文獻的橋梁，爲黄河流域生態保護、水利工程史、國家治理史、邊疆治理、中華民族共同體學等多個領域的學術研究提供了豐富、翔實的基礎文獻，有力推動了相關學科的發展與創新；從文化價值角度而言，生動展現了北疆文化與黄河文化在歷史長河中的交融共生，爲内蒙古『北疆文化』品牌建設提供了堅實的文獻支撑，進一步豐富了中華文化的内涵與外延；從實踐價值方面考量，書中所藴含的治河理念爲我們在新時代背景下實現人與自然和諧共生、推動黄河流域可持續發展提供了寶貴的歷史經驗與智慧啓示。

在此，我們要衷心感謝各藏書機構的大力支持，正是他們提供了珍貴底本資源，纔使得本叢書的編纂出版成爲可能。同時，我們也要向文化遺産智能應用服務中華民族共同體建設『英才與蒙』團隊致以崇高的敬意，他們歷經五年的辛勤耕耘，以嚴謹的治學態度和專業的學術素養，對文獻進行了系統的整理和輯録，爲叢書的内容質量提供了堅實保障。此外，我們還要特别感謝内蒙古自治區黨委宣傳部、内蒙古出版集團將本叢書納入『北疆文庫』重點項目，并在出版過程中給予全方位支持與幫助。

我們衷心期待，這套凝聚着無數心血與智慧的《黄河國家治理文獻集成》，能够在新時代的『黄河大合唱』中奏響歷史的强音，爲黄河流域生態保護和高質量發展注入强大的歷史動力，讓黄河文化在保護中傳承，在傳承中創新，在創新中不斷發展，綻放出更加絢爛的光彩。同時，希望這套叢書能够成爲促進各民族文化交流、鑄牢中華民族共同體意識的重要載體，助力各民族更加緊密地團結在一起，共同爲實現中華民族偉大復興的中國夢而努力奮鬥，讓中華民族共同體意識在黄河文化的滋養下，扎根于每一位中華兒女的心中，成爲推動中華民族不斷前進的强大精神力量。

提要

《豫河志》于1923年出版，是河南省境内黄河（及沁河）水利工程的首部專志，由吴篔孫主編。吴篔孫，河南固始人，生卒年不詳。

全書共28卷，涵蓋圖、源流、工程、經費、祀典、職官、雜記等七大板塊，約29萬字。在源流部分，本書主要徵引了《禹貢》等史籍，其餘部分則以斷代形式記述了從清順治元年（1644）至宣統三年（1911）的豫河史料，開創了以省為單位撰修河志的先河。儘管《豫河志》未涉及地下水文、生態影響等現代議題，但它為後續研究提供了寶貴的數據基礎。本次出版采用的是1923年鉛印本。

目録

豫河志卷二十三 職官一 表

年	大事記	統部	監司	廳員
順治元年	先是明崇禎十五年流賊李自成決河灌汴城命工部侍郎周堪賡修治十六年二月堪賡言決口有二一爲朱家寨一爲馬家口兩口相距三十里至四月塞朱家寨決口修隄四百餘丈馬家口工未就忽冲東			

河南印刷局印

岸諸埽至六月堤履言
馬家泆口百二十丈兩
岸皆築四之一中間七
十餘丈請俟霜降後興
工未及奏績而明亡至
是年夏河自復故道○
按河南通志所載如是
而將承勳乙酉巡按河
南疏陳情形則汴口尚
未塞也秋溫縣隄塌三
十里

七月以楊方興爲兵部
右侍郎兼右僉都御史
總督河道
以羅繡錦爲右副都御

年	事	巡撫	河道	同知通判
二年	河決考城縣流通集	史巡撫河南	管河道張國泰	北河同知張獻捷
		十一月以吳景道爲右副都御史巡撫河南〇羅繡錦遷湖廣四川總督	管河道方大猷	
三年				歸河通判路光奎
四年	四月流通集決口工成			
五年	河決蘭陽			歸河通判安國珍
六年				歸河通判

七年 河決封邱縣朱源寨

九年 河決封邱縣大王廟口毀縣城又決祥符縣朱源寨北徙 復設歸德府管河通判

十年 武陟縣沁河決

八月以雷興爲右副都御史巡撫河南○按東華錄吳景道致仕以雷興爲河南巡撫十一月降河南巡撫王亮教二級調外用以徇庇學臣

鄭捷 北河同知

楊惠心 歸河通判

郭任仁

黄日祚及違例收用舊
承差則似霈興未到任
而卒王亮教到任後始
降調河南通志於吳景
道後即繼以亢得時無
雷興王亮教之名東華
錄亦無命王亮教月日
十一月以亢得時爲右
副都御史巡撫河南○
東華錄是月乙巳降調
王亮教戊申命亢得時

十一年

南河同知

白方熙

河南印刷局印

十二年　大王廟決口寨
武陟沁口寨

十三年

十四年　河決祥符縣槐疙疸復
南徙決陳留縣孟家埠
口

六月以朱之錫爲兵部
尚書兼都察院右副都
御史總督河道○楊方
興致任
九月以賈漢復爲兵部

管河道徐
必遠

北河同知
劉愈奇
南河同知
趙汝試
北河同知
張爾翮
歸河通判
高璧

年	河事	總督、巡撫	管河道	同知
十五年	河決陽武縣慕家樓	左侍郎兼右副都御史巡撫河南○亢得時遷漕運總督		北河同知 魏裔魯
十六年		十二月以楊茂勳署河道總督○朱之錫丁母憂給假治喪楊茂勳由吏部左侍郎署	管河道盛治	北河同治 王鑕
十七年	槐疙疸決口塞河決虞城縣羅家口旋塞	六月以白色純署河道總督○楊茂勳調湖廣巡撫白色純由文華殿學士署		南河同知 崔維雅

河南印刷局印

七月以苗澄署河道總督○白色純遷倉場侍郎苗澄由左僉都御史暫署十二月朱之錫復任據朱之錫本傳楊茂勳調撫湖廣後即係苗澄接白色純雖命署未抵任也

八月以彭有義爲右副都御史巡撫河南○賈漢復解任

十八年

設河南總督○初設直隸山東河南總督十五

九月以劉清泰爲河南總督

管河道荊世爵

年裁本年設是職康熙
四年仍併三省八年裁
雍正五年復設六年兼
轄山東十三年裁以後
止設巡撫

康熙元年　河決開封黃練口
二月以張自德爲河南
巡撫○彭有義休致
管河道劉
澍
南河同知
孫宗元
北河同知
丁思孔

二　年

三　年　河決杞縣

四　年　四月河決虞城永城夏

河南印刷局印

邑三縣

十月令督撫責成各州縣修護隄防有無衝決年終造册報部

五年

裁管河道

五月劉濟泰以疾解任

三月以盧崇峻爲河道總督〇朱之錫卒

十一月以楊茂勳爲河道總督〇盧崇峻調山陝總督

六年

南河同知

趙權

北河同知

八年

三月以郎廷相爲河南
巡撫
十月以羅多爲河道總
督〇楊茂勳原品休致

金夢麟

九年

定栽柳例
復設管河道

管河道邵
燈
管河道崔
維雅

南河同知
牟文龍

十年

二月以王光裕爲河道
總督〇羅多調山陝總
督

北河同知
石繼祖

十一年

閏七月以佟鳳彩爲河

河南印刷局印

年	事	總督巡撫	管河道	同知
十二年	停食派河夫	南巡撫〇郎廷相丁憂解任	管河道彭清典	北河同知姜登高
十三年				
十四年			管河道黃標	
十五年			管河道王日藻	
十六年		二月以靳輔爲河道總督〇王光裕解任七月以董國興爲河南巡撫〇佟鳳彩卒		

十七年 北河同知 李得貴

十八年 管河道范 時秀

十九年 南河同知 高錫蕃 南河同知 史鵬廷 北河同知 蔣其昌

二十年 管河道祖 文明 南河同知 徐懋昭 北河同知

河南印刷局印

二十一年

二十二年　河南隄岸工程令巡撫

專理

二十三年

二十四年　定鄭州蘭陽滎澤虞城

陽武各州縣州判縣丞

主簿管河分防兩岸隄

工

二十五年

二月以王日藻爲河南

巡撫○董國興調福建

巡撫

七月以章欽文爲河南

孫毓璘

北河同知

王興元

南河同知

黃錦

二十六年　巡撫〇王日藻遷刑部侍郎　管河道僉　森　北河同知　吳亭士

二十七年　二月以丁思孔爲河南巡撫〇章欽文革職　三月以王新命爲河道總督〇靳輔解任　六月以閻興邦爲河南巡撫〇丁思孔調湖廣巡撫　南河同知　王永羲

二十八年　北河同知　吳延壽

二十九年　河道官員令河督揀補　管河道周銓元　歸河通判鄭維徵

三十一年　部議河官大計總河自行考覈如彙有錢糧之責總河督撫各行考覈　二月以靳輔爲河道總督○王新命解任三月以徐廷璽協理河務○河南通志不載殆以與豫河無涉然是時東河南河未分本以靳輔衰病命順天府府丞徐廷璽協理則亦兼轄上下游不比雍正後之制三十九年經總河張鵬翮疏撤　南河同知徐大臣

三十二年		十二月以于成龍爲河道總督○靳輔以病休以顧汧爲河南巡撫○閻興邦調貴州巡撫	南河同知 王玑 北河同知 劉之璽
三十三年			
三十四年		四月以李輝祖爲河南巡撫○顧汧降調 八月以董安國爲河道總督○于成龍丁憂	
三十五年	移滎澤縣於滎陽郡舊	七月以李國亮爲河南	

河南印刷局印

址避河患○嚴虞惇撰　巡撫○李輝祖遷湖廣
李國亮墓誌云滎澤城　總督
逼黄河水齧衝決歲廉　十一月以于成龍爲河
金錢築隄捍禦公請遷　道總督○董安國革任
縣治於古滎陽郡爲新　于成龍旋以病乞假以
城城成不數日舊城壞　徐廷璽暫署
則當在七月後

三十九年　撤回河工效力人員　三月以張鵬翮爲河道　歸河通判
總督　劉世奇
九月以徐潮爲河南巡
撫○李國亮原品休致

四十二年　管河道王　南河同知
進樹　武登科

四十三年　遣侍衛拉錫等探視河源九月還奏　十月以趙宏燮爲河南巡撫○徐潮遷戶部尚書

四十四年　十一月以汪灝爲河南巡撫○趙宏燮調直隸巡撫

四十七年　十一月以趙世顯爲河道總督○張鵬翮遷刑部尚書

四十八年　河溢蘭陽儀封二縣　九月以鹿祐爲河南巡撫○汪灝以疾乞休

五十三年　十二月以李錫爲河南巡撫○鹿祐以疾乞休

河南印刷局印

年	事	官
五十五年	十二月以張聖佐為河南巡撫○李錫遷工部侍郎	
五十七年	五月以楊宗義為河南巡撫○張聖佐革職	北河同知 潘尙仁
五十八年	以清化鎮河捕通判專管河務為沁河通判	南河同知 劉永錫
六十年	八月河決武陟縣詹家店馬營口魏家莊等處命左副都御史牛鈕侍講齊蘇勒員外郎馬泰前往監修九月至十一月先後合龍	

十一月以陳鵬年署河道總督○命趙世顯來京旋降調陳鵬年次年十二月實授

署管河道 張杓

六十一年 正月武陟縣釘船幫新築岸尾隄及馬營口隄工塌陷

雍正元年 正月馬營口隄工合龍

正月以齊蘇勒爲河道總督○陳鵬年病故

以年欽元兼署河南巡撫○楊宗義丁憂年欽元由布政使兼署

二月以左僉都御史稽

河南印刷局印

曾筠署河南巡撫
三月以石文焯爲河南
巡撫○嵇曾筠改典河
南鄉試

四月添設千總二員
六月中牟十里店婁家
莊河溢命兵部侍郎嵇
曾筠會同河南巡撫修
堵七月婁家莊漫口合
龍十一月十里店漫口
合龍
武陟縣姚其營沁黃交
漲決絮家營二鋪營土

隄及詹家店馬家簪月
隄迎滎澤之逅隄格隄
命大學士嵇曾筠會同
侍郎嵇曾筠總河巡撫
修築七月塞之
九月河漫中牟楊橋十
二月合龍

二年

定臨河十四州縣選擇
調補三年考核陞用例
○巡撫石文焯於元年
具奏請自二年起扣算
正月添設開封府南北
兩岸同知各一員○舊

管河道陳　上南河同
世倕　知拖克拖
海○劉永
錫改下南
河
下北河同

為南河北河同知二員
至本年添設二員爲上
南下南上北下北東華
錄在三年二月據河南
通志列本年
添設懷慶府黃河同知
沁河主簿各一員
設河營
四月設副總河○駐紮
武陟管理河南黃河

四月以稽曾筠爲河南
副總河
八月以田文鏡署河南
巡撫○石文焯調署浙
江巡撫田文鏡於十二

知徐志巖
○潘尙仁
改上北河
懷慶黃河
同知孔傳
煥

月實授

三年　七月河決儀封縣大寨　管河道佟　下北河同

蘭陽縣板廠　鎮　知張近光

沁河通判

李世傑

四年　管河道祝　歸河通判

兆熊　甘士調

歸河通判

胡琰

歸河通判

葉光合

五年　正月以山東與河南接

壤之曹縣定陶曹州單

河南印刷局印

縣城武等處附近黄河
隄岸等工交河南副總
河就近管轄
二月添設開封府南岸
及下北河汛員
專設河營〇二年所設
之河營弁兵皆由南河
撥來本年發回南河弁
兵乃始爲豫河專營
閏三月復設分守彰衛
懷管河道〇按以前河
北守巡道不兼河自康
熙二十五年裁後至是

彰衛懷道
朱藻

六年
七年

復設始奏明兼管河北
一帶睢工管河道管南
岸開歸二府鄭滎二州
縣工程

七月以田文鏡爲河南
總督○兼管巡撫事

二月齊蘇勒病故○齊
蘇勒故後總河缺以尹
繼善署孔毓珣調授時

上北河同
知鮑學沛
歸河通判
劉日章

河南印刷局印

雖未與東河分缺而結
銜已稱江南河道總督
至三月遂分任則尹孔
宜入南河故不錄
以徐湛恩協理河南山
東河工事務
三月設正總河管河南　三月以嵇曾筠爲河南
山東兩省河道提督軍　山東河道總督
務駐濟寧
閏七月設懷豫兩河營

八年
四月以田文鏡兼管河　護理管河　下南河同
南山東河道總督○嵇　道拖克拖　知陸儀
曾筠兼署江南河道總　海　上北河同

九年

督

五月以范時繹協辦河東河工

八月以沈廷正爲河東河道總督

九月以朱藻協辦總河加僉都御史銜〇范時繹革職

四月以張元懷署河南

管河道劉永錫

兼署彰衛懷道劉永錫

彰衛懷道孔傳煥

知朱千宣

上南河同

河南印刷局印

巡撫○田文鏡因病予假進京張元懷由浙江布政使署田文鏡即於本年回任

九月以朱藻爲河東河道總督○沈廷正調直隸河道總督

十二月以高斌爲河南副總河

十年

四月以孫國璽辦理河東副總河事

十月以孫國璽協辦河東總督事務

知何源浩

上北河同知唐繹祖

懷慶黃河同知毛伯鳳

上南河同知魏士健

上北河同知劉日章

年	河事	職官	河道	廳員
十一年		十一月以王士俊爲河東總督孫國璽署河南巡撫○田文鏡因病解任以阿爾泰辦理河東副總河事四月以王士俊兼管河南巡撫○孫國璽調署江蘇巡撫	管河道白映棠	沁河通判朱俠 歸河通判朱俠 沁河通判夏錫貴 下南河同知朱俠 署下北河同知劉珍
十二年	七月河決陳留縣七堡九堡八月合龍	十二月以白鍾山爲河	彰衛懷道	下北河同

河南印刷局印

東河道總督○朱藻調　馬駿雲　知馮瑗

直隸河道總督

以劉勷爲河東副總河

○阿蘭泰回京

十三年　撥分守開歸道原轄之開歸陳許歸管河兵備道轄

十一月以富德爲河南巡撫○王士俊解任

開歸陳許道繆孔昭　上南河同知武錫彤

開封陳許道安鳳彩　下南河同知胡在穗

下南河同知張廣居

開歸陳許道黃叔璥　上南河同知張允烋

下北河同

乾隆元年

年	官制	巡撫	道	同知、通判
				知胡在穗下北河同知孫澌
二年		三月以尹會一署河南巡撫○富德奉召來京尹會一於十月實授	彰衛懷道張受長	
三年			開歸陳許道胡紹[芬]	
四年	改歸河通判爲商虞添設儀考通判	十一月以雅爾圖爲河南巡撫○尹會一解任	彰衛懷道張學林	上南河同知羅光臨商虞通判董源涵儀考通判

年	事	河督	道	廳員
				孫澌
五年	設曹儀通判		開歸陳許道 崔琳	商虞通判 喬大賚 儀考通判 高越
六年	裁沁河通判		彰衛懷道 胡振組	上北河同知 葉仰高 商虞通判 朱漢
七年	裁陽武縣丞 以懷慶府糧通判分管沁河	十二月以完顏偉爲河東河道總督〇白鍾山調江南河道總督		朱漢
八年		五月以碩色爲河南巡撫〇雅爾圖奉召來京		儀考通判 朱漢
九年			開歸陳許	上南河同

年				
			道金山	知畬大賚 上北河同知高越 下北河同知陳鍾瑤 儀考通判張學浩
十一年			開歸陳許道沈青崖	
十二年				上南河同知葉仰高 儀考通判楊綬

河南印刷局印

	十三年	十四年
	三月以顧琮爲河東河道總督〇完顔偉遷左副都御史 十月以鄂容安署河南巡撫〇碩色遷兩廣總督鄂容安十四年九月實授	
		開歸陳許道胡振組 開歸陳許道佟世表
	儀考通判張學浩 上北河同知張曾榮	

十五年　開歸陳許道張奎祥　上南河同知朱漢　下北河同知李松年　商虞通判張廣基　儀考通判陳業遠　上北河同知張學浩

十六年　八月河決陽武縣又決祥符朱水　八月以舒輅爲河南巡撫〇鄂容安調山東巡撫　十月以陳宏謀爲河南巡撫〇舒輅調陝西巡

河南印刷局印

撫

十七年	十一月陽武決口合龍	三月以蔣炳爲河南巡撫○陳宏謀調福建巡撫	開歸陳許道鄧錫禮	下南河同知魏志櫄
十八年	九月河決陽武旋堵塞	三月以白鍾山爲河東河道總督○顧琮奉召來京	彰衛懷道蘇崇阿	上北河同知陳鏞琦
十九年				商虞通判陳業遺
				儀考通判金人文

二十年
五月以圖爾炳阿爲河
南巡撫○蔣炳丁憂
彰衛懷道
永泰
上北河同
知汪容

二十二年
正月以張師載爲河東
河道總督○白鍾山調
江南河道總督
上南河知
同陳業遠
商虞通判
楊銘侃
儀考通判
吳承謨

二十三年
六月以胡寶瑔爲河南
巡撫○召圖爾炳阿來
京旋革職
商虞通判
吳承謨
儀考通判
陳思義

河南印刷局印

年	河事	巡撫	官員
二十四年	併沁河通判歸黃沁同知專管		開歸陳許道觀音保 彰衛懷道吳虎炳 上北河同知彰理 懷慶府沁河通判薩廉
二十五年		十二月以吳達善爲河南巡撫〇胡寶瑔調江西巡撫	商虞通判張際盛
		四月以常鈞爲河南巡撫〇吳達善遷雲貴總督	開歸陳許道陳輝祖 下北河同知紀黃中
二十六年	七月河決中牟縣楊橋		開歸陳許道何煟 儀考通判宋豐綏

二十七年

命大學士劉統勳協辦
大學士公兆惠江南河
督高晉同總河巡撫堵
築十一月合龍

八月以胡寶瑔爲河南
巡撫○常鈞調江西巡
撫

下南河同
知宋豊綏
上北河同
知郭有㦤
儀考通判
柳霈

二十八年		正月以葉存仁爲河南巡撫〇胡寶瑔卒 十月以葉存仁爲河東河道總督〇張師載卒	上北河同知謝光健
二十九年		以阿思哈爲河南巡撫 六月以李宏爲河東河道總督〇葉存仁卒	下北河同知柳（缺） 儀考通判張松孫 儀考通判吳承曾 黄沁同知荊如棠

三十年

三月以李清時爲河東河道總督〇李宏調江南河道總督

彰衛懷道何煟 商虞通判謝沈生

開歸陳許道諸穆親

四月以河南按察使何煟兼管南北兩岸工程

彰衛懷道宋敞

〇何煟後遷布政使仍兼管河工皆出特派

彰衛懷道甯泰

三十二年

七月以嵇璜爲河東河道總督〇李清時調山東巡撫

開歸陳許道孫廷槐

上南河同知魏逢堯

下南河同知馬鵬飛

商虞通判

三十三年

九月以吳嗣爵署河東河道總督○梳璜遷工部尚書

三月以喀甯阿爲河南巡撫○阿思哈遷雲貴總督先以吳嗣爵暫署河南巡撫

三十四年

十月以富尼漢爲河南巡撫○喀甯阿調貴州巡撫

三十五年

三月以永德爲河南巡撫○富尼漢奉召來京

三十六年

五月以何煟爲河南巡撫○永德調湖南巡撫

彰衛懷道 明琦

八月以姚立德署河東河道總督○吳嗣爵調江南河道總督

以何煟兼管河東河務○何煟先祗兼豫河至是兼管山東河道三十九年以管河著勞授何煟總督銜仍管河南巡撫事姚立德實授旋加姚立德總督銜何煟兵部尚書銜

三十九年		十月以徐績爲河南巡撫〇何煟卒	
四十三年	閏六月祥符縣河溢 七月儀封十六堡河決 命刑部尚書袁守侗會同總河巡撫查辦漫工 命兩江總督高晉赴河南堵築漫口	正月以鄭大進爲河南巡撫〇召徐績來京	彰衛懷道 何裕城
四十四年	正月命大學士公阿桂赴河南查勘河工善後事宜	正月以陳輝祖爲河南巡撫〇鄭大進調湖北巡撫	

四十五年	二月儀封決口合龍	四月以袁守侗爲河東河道總督〇姚立德先已革職留任至是革任十二月以陳輝祖爲河東河道總督榮柱爲河南巡撫〇袁守侗調直隸總督二月以李奉翰爲河東河道總督〇陳輝祖調江南河道總督四月以楊廷魁爲河南巡撫榮柱遷盛京刑部侍郎	彰衛懷道 朱岐

河南印刷局印

四十六年

八月以國泰暫行兼理
河東河道總督○薩載
丁憂陳輝祖署兩江總
督李奉翰署南河總督
薩載百日孝滿回任李
奉翰仍回東河
十月以雅德爲河南巡
撫○楊廷魁丁憂
正月以韓鑅爲河東河
道總督○李奉翰調江
南河道總督
二月以富勒渾爲河南
巡撫○雅德調山西巡

撫

四十七年

七月祥符縣焦橋儀封縣曲家樓河決命大學士公阿桂查驗河工焦橋於本月斷流堵塞

七月以何裕城署河東河道總督〇韓鑅丁憂

大學士公阿桂請於蘭陽三堡改堤開河從之遣侍衛阿彌達探視河源七月還奏

九月以李世傑爲河南巡撫〇富勒渾遷閩浙總督

四十八年

三月新河成曲家樓漫口合龍

四月定河道總督兼兵

四月以何裕城爲河南

河南印刷局印

部侍郎右副都御史銜 | 巡撫蘭第錫署河東河
改儀考通判爲蘭儀改 | 道總督○李世傑遷四
曹儀通判爲曹考設睢 | 川總督蘭第錫五十二
寧通判增改各汛 | 年五月實授

四十九年 | 八月睢州河溢命大學
士公阿桂督治十一月
合龍
添設豫河營都司一員
改儀封縣爲廳裁縣丞
設廳主簿管河

五十年 | 二月以畢沅爲河南巡
撫○何裕城調陝西巡 | 蘭儀通判
撫 | 徐端

五十一年

添設蘭儀睢同知

五十二年

六月睢州下汛十三堡

河溢命大學士公阿桂

督辦十月合龍

改蘭儀睢甯通判爲同

知黃沁同知爲通判設

儀睢通判

五十三年

改懷河營都司爲協辦

守備

七月以伍拉納爲河南

巡撫○畢沅遷湖廣總

督伍拉納未到任以前

蘭儀同知

徐端○按

姚鼐所撰

墓誌銘又

蘭睢甯及

開封下南

同知其年

皆不可考

附誌於此

五十四年

以惠齡署惠齡旋授湖北巡撫以梁肯堂署河南巡撫

正月以梁肯堂爲河南巡撫○伍拉納遷閩浙總督

二月以李奉翰爲河東河道總督○蘭第錫調江南河道總督

五十五年

二月以穆和藺爲河南巡撫○梁肯堂遷直隸總督

五十七年

彰衛懷道

年	事	官	
五十九年	十一月以阿精阿爲河南巡撫〇穆和藺革職	陳文緯	
六十年	五月以景安爲河南巡撫〇阿精阿遷刑部侍郎		
嘉慶二年	九月以康基田爲河東河道總督〇李奉翰調兩江總督 十二月以司馬騊爲河東河道總督〇康基田調江南河道總督	開歸陳許道馬慧裕	
三年	三月以倭什布爲河南		

河南印刷局印

開歸陳許道彭如幹

巡撫○崑安遷湖廣總督

三月以吳璥署河東河道總督○司馬騊卒吳璥於十一月實授

以吳熊光爲河南巡撫○倭什布遷湖廣總督

九月睢州上汛河溢

四年　正月睢工漫口合龍○是年河決儀封不見東華錄見於姚鼐所撰彭如幹墓誌銘亦不詳其何月

改上北同知爲祥符北岸同知改衛輝府河務通判爲上北衛糧河務通判

七月裁考城汛千總

五年　二月以王秉韜爲河東河道總督○吳璥調江南河道總督

六年　四月以顏檢爲河南巡撫○吳熊光遷湖廣總督

七年　四月以馬慧裕爲河南巡撫○顏檢遷署直隸總督
八月以嵇承志署河東河道總督○王秉韜卒

八年　九月封邱縣衡家樓河決命吏部尚書劉權之工

河南印刷局印

九年

部左侍郎那彥寶馳赴
十二月命理藩院左侍
郎貢楚克札布刑部右
侍郎戴均元查勘衡工
漫口
三月衡家樓河工合龍
六月命禮部尚書那彥
成馳赴河南查看河工
○因衡工合龍後黃流

四月以徐端署河東河
道總督○召嵇承志來
京

開歸陳許
道胡克家

中雲梯關入海不暢分溜直入洪澤湖及淮陽一帶運河倒灌較往年爲甚

命戶部右侍郎顏勒布督辦衛家樓善後工程○奉命日期不得其詳惟見是年七月因查辦戶部寶泉局虧短銅斤案諭旨內即以衛工河防事務交馬慧裕徐端督辦

十二月以李亨特爲河

年	改制	職官	彰衛懷道
十年	改黃沁通判爲同知睢寧同知爲通判	東河道總督○徐端調江南河道總督	
十一年	改設中河通判	四月以吳璥爲河東河道總督○李亨特革職建問	
十二年		十二月以清安泰爲河南巡撫○馬慧裕改內閣學士	張裕慶
十三年	改蘭陽中汛縣丞爲中牟上汛縣丞	六月以馬慧裕爲河東河道總督○吳璥遷刑部尚書	

十四年　四月以恩長爲河南巡撫○清安奏卒　七月以陳鳳翔爲河東河道總督○馬慧裕調漕運總督

十五年　十二月以李亨特爲河東河道總督○陳鳳翔調江南河道總督

十六年　添設歸河通判改移各汛弁　五月以長齡爲河南巡撫○恩長降調

十七年　開歸陳許道諸以謙

十八年　七月以方受疇爲河南

河南印刷局印

九月睢州下汛二堡漫口命湖南巡撫廣厚會同戴均元督辦

巡撫○長齡遷烏魯木齊都統方受疇旋乞假回籍以高杞署八月高杞遷熱河都統以布政使台斐音署九月仍以高杞署河南巡撫

九月以戴均元爲河東河道總督○李亨特革職

十九年

設副總河

正月以吳璥爲河東河道總督戴均元遷吏部侍郎

五月以李鴻賓爲河東

二十年　裁副總河

二月睢州二堡合龍

副總河

正月以李鴻賓爲河東河道總督○吳璥遷兵部尚書

五月以李逢亨爲河東河道總督○李鴻賓丁憂

六月以阮元爲河南巡撫○方受疇遷直隸總督

十一月以葉觀潮爲河東河道總督○李逢亨

二十一年

年	河事	職官
二十二年	定大挑知縣揀分河工例	回直隸永定河道任以文甯爲河南巡撫○阮元遷湖廣總督十二月以和舜武爲河南巡撫○文甯解任
二十三年		四月以陳若霖爲河南巡撫○和舜武調山東巡撫
二十四年	六月武陟縣沁河溢八月合龍	三月以琦善爲河南巡撫○陳若霖調山東巡撫

八月蘭陽儀封南岸河
溢命前刑部尚書吳璥
馳往會同琦善堵築又
命李鴻賓督辦漫口工
程
黃沁廳屬武陟汛河溢
命葉觀潮搶築贖罪
十月命協辦大學士吏
部尚書戴均元都統那
彥寶查看河工那彥寶
留駐馬營壩督理

八月以李鴻賓爲河東
河道總督○葉觀潮革
職
十月以葉觀潮爲河東
河道總督○李鴻賓因
奏陳不勝河督重任革
去總督給予郎中銜留
河南專司大工錢糧葉
觀潮疏栅補授不給頂

河南印刷局印

二十五年　三月馬營壩漫工合龍
儀封三堡復漫口
十二月儀封漫口合龍

戴

三月以吳璥署河東河道總督那彥寶署河南巡撫○葉觀潮革職留工效力贖罪琦善革職給主事銜隨辦大工

彰衛懷道　嚴烺

四月以張文浩署河東河道總督姚祖同爲河南巡撫

道光元年

七月以嚴烺署河東河道總督○張文浩丁憂嚴烺於二年九月實授

開歸陳許道　周以輝

二年

七月以程祖洛爲河南
巡撫○姚祖同緣事解
任以王鼎暫署

彰衛懷道
王鳳生

八月沁河溢
十一月堵築武陟縣小
劉村及原馬棚漫口

三年

添設睢寧廳蘭陽汛額
外外委各一員
改儀封廳管河經歷爲
儀封司管河經歷

十一月張井署河東河
道總督○嚴烺調江南
河道總督張井於五年
九月實授

彰衛懷道
郭錫純
開歸陳許
道張井

六年

三月以嚴烺署河東河

河南印刷局印

七年

九年

十一年

道總督〇張井調江南河道總督嚴烺於七年九月實授

九月以楊國楨爲河南巡撫〇程祖洛丁憂

十月以林則徐爲河東河道總督〇嚴烺以病免

開歸陳許道麟慶

開歸陳許道張坦

上南河同知羅綬

蘭儀同知于卿保

商虞通判沈賜恩

十二年	裁減河標兵額定京員 揀派河工例	二月以吳邦慶爲河東河道總督〇林則徐調江蘇巡撫		下北河同知龔慶祥
十三年	裁滎澤縣北岸主簿			
十四年		七月以桂良爲河南巡撫〇楊國楨以母病乞休		曹考通判沈廉
十五年		四月以栗毓美爲河東河道總督〇吳邦慶降用	開歸陳許道慶林	
十九年		三月以朱樹爲河南巡撫〇桂良遷湖廣總督 四月以周天爵爲河南		

河南印刷局印

二十年

二十一年

六月下南廳祥符汛河
溢命大學士王鼎通政
使慧成督辦大工

巡撫○朱樹調漕運總
督六月以牛鑑爲河南
巡撫○周天爵遷閩浙
總督

二月以文冲爲河東河
道總督○栗毓美卒

八月以朱襄爲河東河
道總督○文冲革職朱
襄未到任前以王鼎署

開歸陳許
道步際桐

開歸陳許
道況澄

下南河同
知王淡○
按王漢先
任中河通
判睢甯通
判皆不得
其任事年

月附識於此

二十二年　二月祥符大工合龍

九月以鄂順安署河南巡撫○牛鑑遷署兩江總督

九月以慧成署河東河道總督○朱襄因何出缺未詳慧成於十一月實授、

開歸陳許道楊以增

二十三年　七月中河廳九堡漫口

命協辦大學士戶部尚書敬徵戶部右侍

閏七月以鍾祥爲河東河道總督○慧成革職

開歸陳許道鄖敏

彰衛懷道莊瑤

中河通判王葵初

歸河通判鄒堯廷

河南印刷局印

郎何汝霖赴東河查
勘
閏七月命工部尚書廖
鴻荃督辦大工
九月命禮部尚書麟魁
督辦大工
二十四年

開歸陳許
道王壽昌
彰衛懷道
龔慶祥

蘭儀同知
張承恩
下南河同
知顏安
下北河同
知徐啟山
署中河通

年	紀事	督撫	道員	廳員
二十五年	正月中牟大工合龍			判王廣恕
二十六年				下南河同
				知陳世勳
二十八年		八月以潘鐸爲河南巡	彰衛懷道	
		撫○鄂順安革職	長臻	
二十九年	裁歸河通判及守備	閏四月以顏以燠署河	彰衛懷道	
		東河道總督○鍾祥卒	蔣啟敭	
		顏以燠於九月實授		
咸豐元年		八月以李僡爲河南巡		
		撫○潘鐸降調李僡未		
		到任前以蔣霨遠署		
二年		正月以柏貴爲河南巡		

撫○李僡調山東巡撫

四月以陸應穀署河南

巡撫○李僡赴山東柏

貴未到任至十一月陸

應穀改署戶部右侍郎

以琦善署河南巡撫琦

善未及到任即於十二

月以欽差大臣專辦軍

務陸應穀實授河南巡

撫

六月以慧成爲河東河

道總督○顔以燠開缺

慧成未到任前以陸應

毅暫行兼署

三年

十二月以福濟爲河東河道總督○慧成調署四川總督

三月以長臻署河東河道總督○福濟調漕運總督長臻於五月實授

開歸陳許道林揚祖署開歸陳許道張昀

六月粵匪竄懷慶放洩城外沁水

九月以英桂爲河南巡撫○陸應穀革職

五年

五月以李鈞爲河東河

下北河同

道總督○長臻卒李鈞
未到任前以蔣啟敭署

知王熙文
黃沁同知
王緒昆
蘭儀同知
張學宗
商虞通判
王濬
中河通判
徐思穆

彰衛懷道
周士鍠

七年　六月下北廳蘭陽汛銅瓦廂三堡漫口河流遂北徙由大清河入海

八年　八月以恒福爲河南巡撫○英桂調山西巡撫先是英桂於四年三月因病賞假以鄭敦謹暫

九年 署本年四月復因病請假以瑛棨暫署二月以瑛棨爲河南巡撫○恒福遷直隸總督三月以黃贊湯爲河東河道總督○李鈞以病免

十年 正月以慶廉爲河南巡撫○瑛棨降調

下南河同知徐忠穆上南河同知周注○慶廉原參摺如是嚴樹森查覆摺係周注

十月以嚴樹森爲河南　下北河同
巡撫○慶廉解任　知徐思穆

十一年
四月河東河道總督由　彰衛懷道
北岸移駐開封　王榮第
十二月以鄭元善爲河
南巡撫○嚴樹森調湖
北巡撫

同治元年
七月以譚廷襄兼署河　開歸陳許
東河道總督○黃贊湯　道王憲○
調廣東巡撫譚廷襄由　按王憲先
山東巡撫兼署後開巡　任過祥河

撫缺專署河督

同知其年

已不可考

附誌於此

彰衛懷道

周煦徵

十一月以張之萬署河

南巡撫○鄭元善降用

張之萬二年正月實授

二年

裁蘭儀儀睢睢寧商虞

曹考五廳及所屬十一

汛州判縣丞主簿巡檢

等員缺

三年

七月以鄭敦謙爲河東

河南印刷局印

四年

河道總督○譚廷襄遷
刑部侍郎
四月以張之萬署河東
河道總督吳昌壽為河
南巡撫○鄭敦謹調湖
北巡撫張之萬於九月
實授

五年

正月以李鶴年為河南
巡撫○吳昌壽降調

開歸陳許
道德馨
彰衛懷道
李宗燾

七月胡家屯河溢

八月以蘇廷魁署河東

年	事	河道總督	道	同知
六年		河道總督○張之萬調 漕運總督蘇廷魁於九 年十月實授		署祥河同 知王仁福
七年	七月滎澤汛十堡河溢 武陟縣趙樊村沁河溢		開歸陳許 道紹諴	上南河同 知鄒槧
八年	正月滎工合龍 添設滎澤汛分防外委 中牟上汛分防外委各 一員改滎鄭汛把總爲 鄭上汛把總鄭中汛千		署開歸陳 許道姜旒	

河南印刷局印

總爲鄭下汛千總

上南河同知陳丙昌

下南河同知陳桂芬

九年

十年　七月河內縣小王莊沁河溢

八月以喬松年爲河東河道總督○命蘇廷魁來京

十一月以錢鼎銘爲河南巡撫李鶴年遷閩浙總督

開歸陳許道任道鎔

光緒元年　二月以曾國荃爲河東

署開歸陳

二年

河道總督〇喬松年卒　許道劉成
五月以李慶翱爲河南　忠
巡撫〇錢鼎銘卒李慶　彰衛懷道
翱未到任前以布政使　吳潮
劉齊銜署理
八月以李鶴年爲河東　彰衛懷道
河道總督〇曾國荃調　劉成忠

三年

山西巡撫
十一月以涂宗瀛爲河
南巡撫〇李慶翱降調
涂宗瀛未到任前以李
鶴年兼署

五年　六年　七年　九年

開歸陳許
道貴瑚
彰衛懷道
吳大澂
開歸陳許　下南河同
道倪文蔚　知張承綸
八月以李鶴年爲河南　開歸陳許
巡撫勒方錡爲河東河　道任愷
道總督○涂宗瀛調湖　彰衛懷道
南巡撫以梅啓照爲河　陳寶箴
東河道總督○勒方錡
因病開缺
二月以慶裕爲河東河　彰衛懷道

年	河患	官制	官員	官員
十一年		道總督〇梅啟照革職以鹿傳霖爲河南巡撫〇李鶴年革職十二月以覺羅成孚爲河東河道總督〇慶裕遷盛京將軍二月以邊寶泉爲河南巡撫〇鹿傳霖調陝西巡撫	許振禕開歸陳許道陳彝	
十三年	八月武陟縣小楊村沁	五月以倪文蔚爲河南巡撫〇邊寶泉遷閩浙總督	開歸陳許道鞠捷昌署開歸陳許道李正	上南河同知余潢

河漫口

鄭州下汛十堡河決

九月命禮部尚書李鴻藻刑部左侍郎薛允升馳往鄭工

十二月命李鴻藻督辦鄭工

十四年

九月以李鶴年署河東河道總督○覺羅成孚革職

七月以吳大澂署理河東河道總督○李鶴年革署任遣戍先以李鴻藻暫署吳大澂於合龍後實授

榮

彰衛懷道

曹秉哲

開歸陳許道

蔭保

下南河同知

朱懋瀾

下北河同

知高善志

祥河同知

十二月鄭工合龍

十五年　河内縣王賀莊沁河漫溢決口

十六年　二月以許振禕爲河東河道總督○吳大澂丁憂　六月以裕寬爲河南巡

張士傑　黃沁同知陳殿成　中河通判崔惠均　上南河同知呂耀奏　衛糧通判陳增壽　祥河同知崔惠均　下北河同知李棠

河南印刷局印

説河志 卷二十三 四十三

撫○倪文蔚病故　中河通判

蔣慶榮

十七年　定歲修額款六十萬兩　彰衛懷道　下南河同

設河防局監工局　明保　知何保榮

開歸陳許　黃沁同知

十八年　道桂霖　于壽之

彰衛懷道

岑春榮

二十年　十一月以劉樹堂署河

南巡撫○裕寬留京

二十一年　開歸陳許

二十二年 | 正月以任道鎔署河東河道總督○許振禕調廣東巡撫任道鎔於九月實授 | 道陸襄鉞

添設鄭中廳通判一員

協備一員

開歸陳許道穆奇先

鄭州通判陳均

二十三年

二十四年 七月裁河道總督

九月復設河道總督

九月以任道鎔仍爲河東河道總督

十月以裕長爲河南巡

上南河同知龔秉彝

下北河同知李尙節

河南印刷局印

撫○劉樹堂調浙江巡撫　祥河同知夏敬曾

二十六年　閏八月以于蔭霖爲河南巡撫○裕長調湖北巡撫

二十七年　正月以松壽爲河南巡撫○于蔭霖調湖北巡撫

四月以錫良爲河東河道總督○任道鎔調浙江巡撫

二十八年　正月裁河東河道總督　正月以錫良爲河南巡撫○松壽遷署兵部左　彰衛懷道馮光元

河南河工事務歸巡撫

兼管
奏減河防經費十萬兩
以五十萬兩爲歲額

侍郎
四月以張人駿爲河南
巡撫○錫良遷熱河都
統

二十九年
三月以陳夔龍爲河南
巡撫○張人駿調山西
巡撫

開歸陳許
道曹福元

中河通判
文銓

三十年
升鄭州爲直隸州改開
歸陳許道爲開歸陳許
鄭道

三十一年
京漢鐵路建鐵橋於滎
澤兩岸

三十二年
正月以張人駿爲河南

三十三年	巡撫○陳夔龍調江蘇巡撫		下南河同知姚詩富
三十四年	七月以林紹年爲河南巡撫○張人駿遷兩廣總督		
宣統元年	八月以吳重憙爲河南巡撫○林紹年遷倉場侍郎	彰衛懷道石庚	祥河同知許師謙
二年	三月以寶棻爲河南巡撫○吳重憙開缺	開歸陳許鄭道江[illegible]	
三年	十月以齊耀琳爲河南	開歸陳許	上南河同

…卷二十三 四十五

巡撫〇賫棻以病去

鄭道袁鎮　南

知許廣身　鄭中通判　薛爾安

河南印刷局印

黄河志 卷二十三 四十六

豫河志卷二十四 職官二傳

楊方興列傳 國史館本傳 節錄

楊方興廣寧人後隸漢軍廂白旗天命七年以諸生來歸入直內院試列舉人授佐領銜擢內秘書院學士順治元年奉命總督河道黃河南北兩岸自流賊蹂躪無人防守伏秋汛發北岸小宋口曹家寨隄皆潰漫曹單金鄉魚臺四邑由南陽入運河潰沒田廬二年二月方興請乘水勢稍涸鳩工亟築允行先是明崇禎時流賊李自成決汴水以灌汴梁其後決口屢塞屢決至是命工部遣員察勘馳奏令方興修理七月河決流通集一趨曹單及南陽入運河一趨塔兒灣魏家灣入運河爲濁流所侵日就淤塞下流徐邳淮揚亦多衝決方興以防護無功自劾諭令殫力河防不必引咎九月疏薦衛雲道方大猷爲管河道四年疏決口將合全河下注勢甚湍激由汶上縣決入蜀山湖方興因言河員必就近隄轉旋能熟諳河務奉諭施行尋以流通工竣加一級六年晉兵部尚書銜七年三月加太子太保八月河決荊隆口南岸漫單家寨西隄北岸漫朱源寨小長隄南岸旋塞全河幾入北岸決口轉向東北流方興用管河道方大猷議先從上游築長縷隄遏其

河南印刷局印

來勢然後築小長隄決口期以春月竣工半年蕆事九年三月方輿以目疾請休得旨漕河重任實難其人卿籌畫素著宜悉心料理旋以汴河工成賜方輿及在事各員鞍馬白金有差時荊隆決口未合者尚三十餘丈大猷擢江南按察使方輿請勅部以新銜留管河務下所司議行會給事中許作梅御史楊世學陳斐交章請勸九河故道使黃河北流入海方輿因疏言黃河古今同患而治河古今異宜宋以前治河但令赴海有路可南亦可北故賈讓以不與河爭爲上策自元明以迄我大清定鼎燕京東南漕運由淸口以至董家口二百餘里必藉黃河爲轉輸是治河即所以治漕可以南必不可以北欲挽北流而趨南自不得不逆其性而曲爲隄防故賈讓下策正今之上策也前人幾許經營成此數千里長隄束水通漕若廢此不治順水北行無論漕運不通轉恐決出之水東西奔溢不可收拾今議者乃欲尋禹舊蹟重加疏導勢須別築數千里長隄較之增卑培薄難易曉然且河流挾沙俱行束之一則水急沙流播而爲九則水緩沙積數年以後河仍他徙何以濟運議者又謂河經修築即當永遠無虞不知黃河自積石入中國後源遠支繁每遇伏秋汛發漫衍橫決有非隄岸所能禦者自殷周至今已事可考臣愚以爲河不能無

決決而不築司河者之罪也河不能無淤淤而不浚亦司河者之罪也若欲保其不決不淤誰敢任之明河臣潘季馴曰治河必無一勞永逸之功止有補弊救偏之策不可有喜新炫奇之智惟當收安常處順之休斯誠不易確論伏願敕下廷議定畫一之規屏二三之說俾河臣知所遵守不勝幸甚疏上嘉納之十年河決大王廟口距朱源寨口不遠給事中周體觀劾方興治河罔效耗帑害民罪方興遵旨回奏言臣自奉命總河九載疏築如法所有興工緩急役夫多寡並經請旨施行未敢稍有遲緩及擅加科派事因懇請罷斥奉旨向來河工皆就決處堵塞僅顧一時以致久無成效今山東又報河決現在會議楊方興且殫心料理毋致誤漕章內事宜下部一併會議方興再疏乞休慰留之十一年給事中林起龍劾方興堵築朱源決口侵冒錢糧累民捐費至六十餘萬兩徇庇河道方大猷諸負奸貪不法命方興解任赴京質對起龍坐誣鐫秩命方興復任十三年方大猷以婁熈誤工爲直隸總督李廕祖所劾方興亦疏劾大猷以其不先舉發傳諭切責于是給事中董篤行疏劾方興徇庇下部議坐降級留任十四年引年乞休上以其久任河道總督勤練著勞命以原官加太子太保致仕康熙四年卒賜祭葬如典禮

河南印刷局印

楊方興小傳 附錄

楊方興字浡然漢軍廂黄旗人初爲廣寧諸生天聰時直内院崇德元年取中舉人順治元年由秘書院學士授河東總督七年荊隆朱源寨口决直趨沙灣張秋一帶隄岸皆潰由大清河東奔入海兖濟以北皆罹其害萬民失業運道復梗方興結茅廬於隄上祇暑隆冬寢食其中九年復决大王廟口衝潰沙灣方興治塞如前並自西岸河邊起至八里廟河邊止開引河五百丈至十三年竣事其明年上疏乞休詔以勤練著勞加太子太保致仕懸車之後長安居第僅蔽風雨疏食布衣四壁蕭然康熙四年卒祭葬如例葉方恒全河備考曰張秋爲黄河下流其决於明世者正統十三年徐有貞治之弘治五年劉大夏治之皆費極浩繁功極艱難至是二歲再見卒用救寧蓋多於前功矣

朱之錫列傳 國史館本傳 節錄

朱之錫浙江義烏人順治三年進士改庶吉士授編修十一年七月擢宏文院侍讀學士十一月遷少詹事十二年十月遷詹事十三年閏五月遷宏文院學士十四年六月擢吏部右侍郎七月諭嘉之錫氣度端醇才品勤敏令以兵部尚書銜總督河道駐濟寧州十

六年正月疏言黄河建瓴萬里及入河南土鬆流漸泛溢之害無代無之前明二百餘年數興大役治水名臣如徐有貞劉大夏潘季馴等塞決口疏河身役夫俱八九萬至十餘萬糜帑不貲黄河自滎澤至陽山南北兩岸前明經營遺迹廢弛日甚謹酌盈虚權緩急條上一河南歲修夫役宜存舊額近以安瀾屢經奏減不知河本湍急未至横流謂之曰安然其湍激之性固無分已決未決也伏秋水漲呼吸間沲岸數里迎流之處縱有重隄如穿蒿葭其防之也高一丈長十丈之堤非數百人莫能推挽一里之隄非三萬餘工不成今歲所築閱歲而高者卑厚者薄加以濁流無定倏北倏南重隄不支退守月隄月隄之内不得不又議土工此夫役舊額萬不可議裁減一柳料宜預爲籌備令瀕河州縣各設柳園數區或取之荒地或就近河民田償價歸官每園置堡夫數名布種澆灌責成道廳稽察數年之後徧地成林不惟有濟河工而河帑亦可稍節一嚴剔諛工病民弊端凡供役之廠夫堡夫流夫隄夫閘夫淺夫鋪夫有奸豪包佔賣富僉貧賄囑私逃剋減工食之弊採買之柳梢磚石草柴蘆䕩灰鐵糯米桐油有扣減價值交收揹索折乾肥私之弊器具之方船活𨀁刮版戽斗鐵鉎鐵鍬布兜竹筐鐵笊杏葉杓鐵鏟箕五齒鐵扒鐵杵木

夯石餓雲梯有儲備不豫制作濫草之弊宜責司道府廳查報徇隱者以溺職論一籍曠曠盡銀兩凡額設水夫天時陰雨而不赴工者爲逃曠所扣工食銀謂之曠盡恐不肖官吏侵入私囊前河臣楊方興奏明每季起解河庫每歲册報工部今宜令管河廳官立循環簿每幅首行書州縣額夫若干工食若干中界爲三十格每日一格書夫幾名某所做工有無逃曠後行書應扣曠盡總數每日送司道查核一愼重河工職守遇同知以下缺員許應盡心河務之人陞補吏部推陞亦先用曾經薦舉之人凡河員陞調降用俱令候代始行離任一河官既有專責不應別膺差委一請復舊例歲終察核所屬賢否分別舉劾以示勸懲一酌議派補夫食三月又言黃河毗連數省巡撫身任封疆境內河道不當視爲非其職守致誤集夫料各省委差請敕各巡撫共勷河務平時先事綢繆臨急從宜搶救疏下部皆如所請行八月疏薦北河同知魏裔魯封邱知縣余縉儀封知縣崔維雅等得旨敘錄先是之錫丁母憂以河工緊要令在任守制至是疏請回籍治喪准暫假數月扶櫬回籍事竣仍即赴任十七年十二月之錫復任明年加太子少保康熙元年九月河決原武祥符蘭陽之錫自往河南塞西閣寨單家寨時和驛蔡家樓管家寨諸決口是

年河南巡按劉源濬條奏南陽汝寧二府開墾荒地請免河工差徭十年部議令之錫奏核之錫言差徭宜均其勞逸新墾者偏逸則舊業之人偏勞酌定自今領墾地畝五年後起派雜差部議從之五年二月卒于官四月直隸山東河南總督朱昌祚疏言之錫治河十載殫力宣勞當旱澇相仍則指揮夙夜若隄渠挑濬則南北馳驅受事之初河庫貯銀止十餘萬兩頻年撙節現今貯庫四十六萬兩有奇核其官守可謂公忠體國其弟之琿稱之錫積勞嬰疾因河事孔棘不敢請告今歲北往臨淸南至邳宿夙病日增回署身故年止四十有四未有子嗣籲請恩䘏賜祭葬如例

朱之錫小傳 陸燿 節錄

朱之錫字孟九號梅麓浙江義烏縣人順治三年進士改庶吉士四年授宏文院編修洊遷學士十四年由吏部侍郎出任河道總督承前任楊方興之後不屑屑於蕭規曹隨凡修守隄岸綢繆至計無不悉心擘畫如夫役工程錢糧職守及諸弊端興革損益皆兩權至當一一條奏報可初以內艱求去不允至十七年假歸營葬十八年再任經營河上先後十年未嘗有大工巨役數省之民獲免昏墊功著揚豫二省至今尸祝不衰康熙四年

以積勞憂鬱發病而卒贈太子太保祭葬如例

朱梅麓尚書事略　李元度　節録

兵部尚書河道總督朱公之錫字孟九號梅麓浙江義烏人順治三年進士選庶吉士授編修十年遷宏文院侍讀學士尋遷詹事十三年晉宏文院學士明年擢吏部右侍郎令以兵部尚書銜總督河道康熙元年九月河決原武祥符蘭陽等縣公力籌堵塞自爲短歌俾道驛衙行夫役皆踴躍趨事以是屢有成功公治河殫竭心力每當各工並急則南北交馳寢食俱廢盛暑介馬暴烈日中隆冬犯霜雪首尾十年先是壬寅秋歲大祲山左中州淮南道殣相望公設法倡賑全活甚衆著有寒香館河防疏畧行世

按朱尚書國史本傳十一年擢宏文院侍讀學士李氏事畧謂在十年似誤當以國史爲正又河南巡按劉源瀞國史與李畧皆書曰巡撫茲據河南通志改

佟鳳彩列傳　國史館本傳　節録

佟鳳彩漢軍正藍旗人康熙十一年七月爲河南巡撫兼理河道十二年疏言豫省平定有年百姓苦累未蘇每歲修築黄河用夫七八千名或至萬餘名自二月至十月俱按地

畝起派似乎公矣然狡猾之徒以自己田土飛灑於人勢豪之家以他人地畝包攬於已甚至紳衿衙役借題優免致懦弱鄉愚愈累愈貧每月三四兩不等方能僱夫一名及解到河工又爲積年河工夫頭百計欺壓苦不能受勢必至於逃逃而提補又得二三兩重僱是每夫一月已費至六七兩矣即以一歲萬夫初僱月需三四兩而計每年費至三四十萬今莫若官僱夫照順治十八年以前例每夫每月僱價二兩每歲上工九箇月每夫止用僱價一十八兩総萬夫計之止用一十八萬兩其每歲估夫若干需銀若干除歲徵河銀外計通省地畝分別等則派銀足之刊明由單內我朝制度凡錢糧俱照明萬歷間則例此項似爲加派而派夫較之派銀所費不啻數倍爲若稍一更變每畝不過加之毫釐俾得安心畝畝此歲修之議若是儻遇意外大工僱價浩繁或動何項錢糧又在臨時再行酌題者也疏下部議如所請得旨派夫累民允宜停止若派銀僱夫仍屬累民著照順治十八年以前例支河庫銀僱給如有不敷需動別項錢糧再行題請鳳彩又疏言豫省沿河地方雖云産柳然除隄柳園柳外俱民間納糧栽種以供採辦自康熙七年以來協濟江南河工之柳已二百七十餘萬束矣而本省歲修常需百餘萬去歲開封府屬陽

武縣之潭口寺工險事迫無柳可用將民間之桃李杏梨等樹盡行砍伐堵塞方保無虞是修防本省河工尚且不敷難以協運外省且豫省黃河水勢洶湧原無商旅巨艦往來不過各河口寥寥之渡船耳一遇協濟渡船不敷將小河民船從陸地挖溝引水拉至大河每隻只裝柳二三百束然尚有船可運也今朱仙鎮市船見封偪無已俱各畏縮不前大河又無片帆往來百姓運柳至河間者祇望洋而歎官吏束手無策若不急圖變通將來必至誤運現在協濟七里溝之柳九十餘萬束而隄柳園柳官給脚價銀一分五釐民柳運脚每束給銀四分五釐向來運本省之柳修本省之工每束尚給銀五分今遠運江南千里之外止給四分五釐小民無術飛運安得不賠累乞敕河臣於江南僱船到豫使民止備辦柳束輓運河干嗣後就江南隣近無河患處酌辦協濟留河南有餘不盡之柳梢以備本省河患庶百姓稍得蘇息大工不致遲誤矣疏下九卿道科道議行十三年十二月以疾乞休得旨解任調理南汝總兵周邦寧以士民籲留入告左都御史姚文然疏言鳳彩相貌議論樸實無奇而老成練達謹慎和平服官二十餘年皆能稱職其撫豫數載恤民疾苦民愛而信之傳聞告病以來百姓皇皇如失所倚恃宜令力疾視事資駕

輕就熟之鎰命鳳彩仍留任十六年七月卒於官賜祭葬如典禮謚勤僖

按河夫一疏已據河南通志錄入工程門而本傳所載較通志加詳至協濟南河椈束一疏則通志所未載也

靳輔列傳（國史館本傳　節錄）

靳輔漢軍廂黃旗人順治九年由官學生考授國史院編修改內閣中書遷兵部員外郎中通政使司右通政擢國史院學士改內閣學士康熙十年六月授安徽巡撫十六年八月授河道總督二十四年九月疏言勘閱河南隄岸考城儀封陽武三縣應幫築隄工七千八百七十九丈封邱縣荊隆口應築大月隄三百三十丈滎澤縣應修築埽工二百一十丈以防上流異漲並請增設蘭陽儀封滎澤河員免開封歸德二府居民採辦靑柳事下部議俱從之二十七年二月因被劾下九卿察議三月允九卿議革輔職以福建總督王新命代之二十八年三月復原品三十一年二月王新命以勒取庫銀爲運河同知陳良謨訐論靳輔熟練河務及其未甚老而用之亦得紓數年之慮其令仍爲河道總督輔以衰病辭命順天府丞徐廷璽同往協理六月疏言前奉詔截留江北漕糧二十萬

石出黃河運至山西蒲州撥陝西賑濟臣因開封以西黃河淺深無定於五月初赴開封督飭催趲添僱民船隨淺隨剝撫臣閻興邦牒稱水路止可運至孟津由孟津陸運至蒲州臣今赴孟津料理十月疏言黃河自河南滎澤縣至江南清河縣兩岸各一千餘里其險工不可疏虞如南岸之在開封或疏虞則黃水入淮歸德至宿遷或疏虞則黃水入睢北岸之在滎澤或疏虞則黃河水上溢張秋下溢濟寧黃河隄工莫重於既成之後隨時修補隄根積水易致汕刷惟於上流量挖一溝引沙直注使停再於下流量挖一溝引水分洩漸去其低窪處自然淤平十一月卒於官賜祭葬如例謚曰文襄四十六年加贈太子太保予騎都尉世職

靳文襄公事略 李元度 節錄

靳公諱輔字紫垣遼陽人隸漢軍廂黃旗康熙十六年授河道總督二十四年疏請添築考城儀封陽武三縣河隄七千八百丈有奇封邱縣荊隆口月隄三百三十丈滎澤縣埽工二百一十丈以防上流異漲又請增設蘭陽儀封滎澤河員免開歸二府民採辦青柳均從之三十一年仍爲河道總督會陝西西鳳漕郡災被南漕二十萬泝河而上貯蒲州

以賑秦民命公董其役公力疾就道經甚西進自淸河至榮澤達三門砥柱安流無恙事竣抵淮疏陳兩河善後策及河工守成事宜幾及萬言十一月薨於位

按文襄著績在南河最多故王士禎撰墓誌銘王元啟作傳陸燿著治河名臣小傳皆載南河事無一語及東河者惟國史本傳著之李氏事略即采之國史故文襄實官國史院學士改內閣學士二王及陸皆誤爲武英殿學士禮部侍郎李氏事略則不誤又請築河南隄埽一疏已撰東華錄載入工程門面考城儀封陽武三縣幫築隄工丈尺與本傳及事略似有不同河南通志又未載此次工程惟會典事例與東華錄同似本傳及事略誤也

崔維雅傳 大名志 節錄

崔維雅字大醇號默齋本新安人順治三年舉人任濬縣教諭因家於魏秩滿授河南儀封縣儀封瀕河歲苦河決維雅躬親畚鍤不避勞暑北岸三家莊爲從來要害地十四年水勢北注岸崩五里有餘維雅於上游十里故流處疏使東行北岸遂安復與塞封邱大王廟決口督撫連疏薦之擢江南淮安府同知旋改開封府南河同知十七年河決祥符

河南印刷局印

之槐疙疸路宿河上三月卒塟之明年復疏三家莊新河發舊河築壩全河盡東自是三家莊河不爲患遷浙江寧波府知府時王光裕奉命安輯浙海心識其才未幾光裕以副都御史總督河道遂薦維雅可用擢河南河道按察司副使治河千有餘里夾河兩岸險工以數十計維雅常於冬春先事防之及伏秋水汛奔馳風雨相度修築皆得無事陽武潭口寺隄直河衝水勢迅急下埽輒蟄維雅預於上游疏引河待之是夏埽果不蟄北隄遂固虞城縣治距河隄僅數里隄沒入河北岸引河衝刷不利維雅預迎河溜挑之至秋水歸新河舊河遂爲平陸累遷江南按察使湖南布政使補廣西布政使入爲大理寺卿候補通政使卒著有河防芻議維雅三任河職於治水功尤著

張鵬翮列傳 國史館本傳　節錄

張鵬翮四川遂寧人康熙九年進士選庶吉士改刑部主事遷員外郎禮部郎中授蘇州兗州知府河東鹽運司遷通政司右參議轉兵部督捕右理事官擢大理寺少卿二十八年擢浙江巡撫三十三年擢兵部右侍郎三十六年遷右都御史三十七年遷刑部尚書授江南江西總督三十九年調河道總督條奏河工一隄工宜堅築加幫之隄應將原隄

夯杵再加新土創築之隄先將平地夯深務期堅固一歲搶各工不無虛冒牽混之弊嗣後呈報險工估計申詳如係假揑即以謊報題參一挑河工程務將挑出之土堆于原估隄工夯硪成隄以資捍禦不許將散土堆集滋假河之弊一平常工料俱用龍尾埽迴風浪立見塌卸虛糜帑金應行停止一河水頂衝對岸必有沙嘴挺出此由河曲之故從曲處挑引河以殺水勢誠有如聖訓指示者而河員不即遵行則以挑引河後必引大溜始能成河若水緩沙淤例應賠修因之人心畏縮臣思河工不如式者理應賠修若實心任事偶致淤墊者應請豁免一實心任事之員工成日優叙即用否則嚴加治罪一挑河築隄用夫動至數千寒暑風雨極其勞苦工成日應給印票免其雜徭以上各條請天語申飭勒石河干永遠遵行得旨河工弊端詳悉切要極其周備下九卿議尋議如所奏四十七年遷刑部尚書四十八年調戶部尚書五十二年調吏部尚書六十年九月直隸總督趙宏燮奏河南武陟縣黃沁衝決隄岸水溢至長垣等處山東巡撫李樹德奏河水泛溢自直隸開州流入山東張秋等處由鹽河入海致運河隄決漕船阻滯命鵬翮同總漕施世綸查勘十二月鵬翮等疏言臣等由山東張秋循流而上查黃河決口在武陟縣之釘

河南印刷局印

船幫支河口衝入詹家店之魏家莊及馬營口今副都御史牛鈕河南巡撫楊宗義於支河口築攔水壩魏家莊已經堵塞馬營口水已消落指日成工其引沁入運之處臣相度地勢西北高而東南下若引水直下恐牽動全沁灌入隄内而黄河直踞其後反覺無益山東運道在張秋則有沙河等水分水龍王廟則有南旺等湖濟寧則有馬場等湖又有諸山泉本可濟運祇因湖隄殘缺民間竊種湖旁之地未得瀦水而諸泉壅塞又未疏通以致漕船時患淺澀臣等已交李樹德築隄瀦水疏濬泉源運道自可通利得旨回奏甚屬明晰即令照依所奏不得稍有更改雍正元年授武英殿大學士六月河南黄沁漫溢決馬營口奉命查築三年二月卒加少保於卹典定例外加祭一次賜全葬諡文端八年詔祀賢良祠

附牛鈕列傳國史館本傳節錄

康熙六十年九月河南武陟縣馬營口河決以牛鈕諳練河工面授方畧偕侍講齊蘇勒往堵築十月以巡撫楊宗義與河督趙世顯不亟備料奏敕宗義專其事牛鈕在釘船幫興工十一月工竣奉旨詳勘河工以儀封縣白家樓虞城縣黄堌壩應挑引河奏交署河

督陳鵬年督辦六十一年二月直隸長垣縣常村集隄南水勢暴漲通山東濮州等處遣牛鈕順道往勘會黃河積凌水發馬營口復決牛鈕馳還武陟同宗義於秦家廠堵築六月奏言秦家廠攔河壩三月興工擇於本月初五日合龍初三日大雨水漲所留水口稍狹兩邊埽蟄陷二十七丈幸埽固未動已屬楊宗義備料趲修諭宗義速行堵修先是牛鈕議於黃河北岸自沁河隄至詹家店十八里無隄處接築遙隄以資捍禦宗義以沁黃並漲時水無所洩恐致衝決不若仍留空隙備宣洩雍正元年正月河督陳鵬年奏現在河勢飛趨較前情形不同無隄攔束亦屬可虞請如牛鈕議從之

附張清恪公行狀 朱元衡 節錄

康熙六十年九月河南馬營口決命河南人知河務者具奏戶部右侍郎兼管倉場總督張伯行奏曰臣籍隸儀封去黃河三里故黃水之性最爲留心蓋黃水不兩行若有兩條河水行一條必淤一條故一遇沖決水行新河舊河必淤若舊河仍行者則新河不過因水勢泛漲洩其有餘水一消落仍行舊河此自然之勢也今武陟縣沖決河口不過因黃沁並長泛濫溢漫洩有餘之水耳黃河之水仍舊東行入冬以後水勢消落勢必盡歸舊

河稍加堵築即復舊矣獨是山東運河只借一線泉水遇天道亢旱泉源乾涸寸步難行臣前任濟甯道時曾議引沁河之水以濟山東之運後以陞任故未及行今歲糧船淺阻山東將至遲誤而黃沁交會忽沖一缺口直入張秋運河糧船盡皆抵通是今歲之運賴此沖決以濟之也若由此修治引之濟運便可成萬世之利越數日又面奏於黃沁交會之際建閘築壩重重關鎖使不泛濫一引沁由賈魯河以入濟濟運一引沁由新決之河入張秋以濟運張秋東崖五空橋安放閘板水小則下板引沁濟運水大則放沁入海至於濟寧運河之西再建閘一座水小則引沁濟運水大則下板引沁入湖不但糧船遄行而臨河之田皆成膏腴矣

按馬營口河決文端兩次銜命往視而國史本傳祇詳康熙六十年視河之役所謂魏家莊已經堵塞馬營口指日成工即牛鈕傳中所謂釘船幫工竣也而雍正元年一役則不詳惟齊良傳曰馬營決口復銜命至豫相視嵇曾筠議并塞詹家店四口黃沁合處有沙灘應加濬闢繪圖以進悉嘉納又彭端淑撰張文端鵬翮傳曰三視河當爲相猶遣公曰以位則卿不當差以齒則卿亦不當差然徧視諸臣無出卿右者蓋公長於治

河凡所經畫無不完固至今數十年來遵守其法云云皆謂是役也而嵇文敏請加幫大隄奏奉有硃批遣張鵬翮來豫正爲此舉則文端雍正元年之至豫並不專爲堵築馬營口一事此皆國史館所未及也文端於馬營口爲特簡重臣且始終其事故以牛鈕傳附之其奏濬引沁入運一節即張淸恪之所奏者故並以淸恪行狀所載者附焉

陳鵬年列傳 國史館本傳 節錄

陳鵬年湖廣湘潭人康熙三十二年進士初任浙江西安知縣四十年河道總督張鵬翮薦其才猷敏練堪理河務調赴江南河工授山陽縣知縣遷海州知州四十三年擢江寧知府四十四年六月兩江總督阿山疏劾得旨革職來京在修書處効力四十七年九月特授蘇州知府四十八年十一月江蘇布政使宜思恭爲總督噶禮劾罷詔以鵬年署布政使四十九年噶禮續劾宜思恭虧帑又劾糧道賈樸侵蝕建閘開河銀項並坐鵬年核報不實部議革任發往黑龍江仍得旨來京修書五十六年出署霸昌道旣受代仍回京修書六十年四月命隨尙書張鵬翮勘閱山東河南運河九月河道總督趙世顯奏令往視河南武陟縣釘船幫決口十月鵬年疏言黃河老隄衝開八九里現今大溜直趨決口

應於對岸上流廣武山淤灘另開引河使溜南趨再於決口稍東逢灣取直亦開一引河引溜東行仍歸正河方可漸次堵築得旨朕每留心河務黃河衝決之處一經奏聞即詳晰指示今覽陳鵬年所奏皆與朕前頒諭旨相合下部知之十一月趙世顯爲屬員訐罷詔鵬年署河道總督六十一年二月疏言河南滎澤縣黃河兩岸隄工止出水面三四尺五六尺不等一遇水長即漫隄而過上流水既漫散則下流河身日漸淤高隄岸卑矮且有殘缺難資捍衛宜於挑濬以前增高培厚疏下部議令河南巡撫楊宗義速行修築是月武陟縣馬營隄爲冰凌水衝漫鵬年自清江浦往視疏言馬營地勢低窪從釘船幫南壩尾衝開至此二十餘里已成大溜撫臣楊宗義堵築上口止剩六丈餘下口止剩四丈餘無如水深溜急難施人力今惟有分其上流借沁水逼黃就廣武山下淤灘之上王家溝開引河使水由東南匯入滎澤舊縣前正河用杏葉鐵鈀濬深釘船幫下首新生淤灘連挑水壩於新河口東逼沁水會黃南趨不使東下則大溜往南馬營決口庶可培築完固疏下部議行命奉使閱河之副都御史牛鈕祭酒齊蘇勒等奏築沁河隄頭至詹家店十八里迤隄楊宗義以武陟百姓僉言此十八里若築隄則田畝易淹且致衝決鄰邑奏

竣其役詔賜年確勘賜年奏黃河南北兩岸從滎澤縣始築隄其上十八里幷無隄蓋以南岸自廣武山爲屏蔽而北岸則沁水從此出口當沁黃交漲時聽其流入水寨及原武縣之黑羊山沙地水勢寬平不致衝溢前人實非無見若一併築隄則暴漲必衝射隄根工險難以防護歲修亦靡費不貲宜留此無隄之十八里以備宣洩從之又疏言與撫臣楊宗義商議暫停馬營決口堵築以三月朔興工開王家溝引河並建挑水壩於沁河口繪圖呈覽尋奉詔回辦南河事務八月賜年復至武陟閱工先是馬營決口因桃汛流急水深停工牛鈕奏於上流秦家廠堵築甫竣旋決至賜年同楊宗義疏言秦家廠南壩尾刷開一百二十餘丈入馬營東下應於南壩臺轉東建扇面壩挑溜西行用長椿大埽建攔河大壩於秦家廠上流又疏言前因河勢北趨宜分洩上流先開王家溝二十餘里引河嗣因沁黃並漲河流遷徙引河口門沙淤移上接開至劉家溝水已暢流衝刷寬深復因上流河心積灘二十餘里隔河溜爲南北兩道南入引河北仍趨決口今宜從劉家溝上流無灘隔之官莊峪開接引河一千四百餘丈庶全河之水俱洩而秦家廠及馬營決口易以堵築奏疏下九卿等同牛鈕齊蘇勒議官莊峪在廣武山脚下淤灘窄而且長上

河南印刷局印

流無進水之勢開引河不若堅修挑水壩令鵬年同楊宗義酌行十月疏言秦家廠之北壩尾隄向係漫灘根脚虛鬆自霜降後連日西北風鼓浪衝刷漫開百餘丈大流歸馬營前此南壩尾水深至三丈有餘自北壩尾衝開後漸次平緩十月三日堵築合龍訖其北壩尾及馬營決口可以次刻期堵築十一月疏言前經定議自詹家店起至榮澤縣老隄止包築大月隄誠爲重門保障若俟決口堵塞後興工恐土凍不堅乘今天氣尚在融和即行鳩築惟中間約有百丈因兩年汕刷寬深應俟春融積水漸消另取乾土夯硪堅實乃可竣事是月實授鵬年河道總督尋疏言前經定議自沁河隄頭至詹家店無隄之十八里留備宣洩今河勢北趨較前迥異若留此空隙亦屬可虞應如牛鈕齊蘇勒原奏自沁河隄頭至詹家店連築大隄直接榮澤縣老隄通計三千四百四十丈俟春融併築竣工下所司知之又疏言秦家廠北壩尾十二月初八日合龍旋復爲冰凌水衝漫二十餘丈至二十一日堵閉完竣其馬營隄埽八九丈亦可刻期堵塞奉諭曰秦家廠北壩漫溢之處雖經堵閉但係多日所築明春冰融之時務期預爲加謹保固雍正元年正月鵬年卒遺疏至得旨陳鵬年潔已奉公實心爲國因河工決口自請前往堵築寢食俱廢風雨

不辭積勞成疾歿於工所聞其家有八旬老母室如懸磬此眞鞠躬盡瘁死而後已之臣
著賜司庫銀二千兩其母給以封典照一品廕其子仍下部議䘏賜祭葬如典禮謚曰恪
勤十年祀河南賢良祠

陳恪勤公行狀 余廷燦 節錄

公姓陳氏諱鵬年字北溟又字滄洲先世籍隸江西廬陵九世祖始遷湘潭康熙辛丑四
月上諭陳鵬年熟諳河務可同張鵬翮前赴河工六月詔留河工辦事七月河決武陟馬
營口由長垣直注張秋入海上命總河趙世顯與山東河南巡撫共寨之公會議河上久
而不決於是公奏黃河老隄岸決開八九里大溜直趨口者十之六趨老河十之四臣愚
以爲宜於對岸廣武山下斷引河一道導溜南趨再於決口稍東逢灣取直又斷引河一
道引溜東行三四里仍折入正河以殺其悍怒乃可漸次堵塞又南河工程例不動帑撫
臣捐修其埽臺僅寬三四丈埽圍僅寬二三丈力單薄不足抵溜合龍不合龍即今年多
回空糧艘必阻滯明年桃花汛發重運亦必難行伏乞迅發帑金別遣大臣董卌入臣與
河臣悉心估計用長椿大埽以資捍禦運道民生庶俱永賴先是已遣大臣授方略比奏

至識九卿曰陳鵬年所奏與朕若合符節爲嘉歎者久之十一月召趙世顯來京即以公署總河事馬營口塞十二月公返清江行總河事劾去河南管河道之不供職者薦山盱通判張杓補其缺明年春正月馬營口塞復開二月公至武陟請於沁黃交匯對岸名王家溝者爲老黃河故道處再開引河一道分水由東南行會入滎澤正河馬營口隄工庶資鞏固既而命公速回清江防伏汛而河南河工專委撫臣然馬營口久不塞復請往塞之乃齋沐十一日至於滎澤爲文禱河神河水驟落八尺請從官莊峪開引河一道可其奏於是晝夜住宿河壖蒙犯霜露心營口畫而南工飛遞又日數十至事無鉅細無不親自裁決一日百慮遂肌骨羸瘠百病交作矣當公之初至河南也南壩尾已潰力疾與巡撫謀合之南壩尾未合而北壩尾復潰至十月南壩尾合公獨力疾合北壩尾幾合復潰公憂悸勞瘁癱痺不支歎曰力竭矣病劇矣可奈何已而大集在工効力文武官弁及椿河夫役誓之曰是役也事成則諸君之力不成則使者之罪吾生吾死卜于今日發聲慷慨泣如雨下衆亦泣莫能仰視應聲曰有不盡死力者有如此河既病且篤居數日復力疾強起合北壩尾十二月已合俄而復潰欷歔曰吾數盡此矣爲文禱河神痛自責曰來

此已五閱月矣北壩尾合而復開者四矣成工無日有一死而已祭畢病益篤衆哀且憤減膳捐軀効死用力用命十一月二十一日北壩尾竟合後六日實授河道總督兼兵部侍郎都察院右副都御史雍正元年正月初五日卒予謚曰恪勤河南河工例委巡撫江南河工例委總河公則不分畛域再自請行赴河南工所至病於工所死於工所而不悔子樹芝樹賓自武陟扶櫬初發南北壩尾官弁及居民夫役數萬人相率繞棺一哭聲震郊原

按東華錄康熙六十一年十二月壬戌實授陳鵬年河道總督是月壬子朔壬戌乃十二月十一日行狀所述北壩尾十二月已合俄而復潰十一月二十一日北壩尾竟合後六日實授河道總督云云考張清恪曹一士鄭任鑰所撰墓誌銘神道碑北壩尾之合實是十二月行狀之十一月刊者誤也惟壩合之日清恪雖未明言鄭則皆云二十一日且三家皆云壩合在先實授在後則與東華錄日期不合惟國史列傳實授在先壩合在後則一一符合蓋碑誌所據者行狀行狀則以接部文之日爲斷而未暇計奉旨之日也又國史本傳及鄧廷燦所撰行狀曹一士所撰神道碑皆言自西安縣知縣

移山陽縣知縣擢海州知州惟張清恪所撰墓誌銘鄭任鑰代撰墓誌銘則自西安縣管趙補天津同知乃移宰山陽也行狀謂至滎澤禱河神牒爐治臣名臣小傳則曰白露後又至馬營口爲文以禱大河及沁水之神黄水一夕驟退八尺其語獨詳與張清恪所謂仲秋還武陟爲文以告河伯適台又行狀所謂劾去河南管河道之不職者蓋王進揖也

附武陟陳公廟碑 方苞代

陳公廟者河內之民不忘故總河陳恪勤公而作也康熙六十有一年河決馬營口公請於朝凡三至河內循故道疏下流飢不遑餐倦不遑寢病不遑藥以身先役夫而董勸之自秋徂冬閱月凡五南北壩合而復潰者四三禱於神願以身殉衆志咸奮克成厥功而公遂彌留矣所謂以死勤事者也今天子御宇上清下寧百神受職洪波澄澈亘數千里引河自開不煩疏鑿隄堰閘壩之工爲焉而斯成築焉而斯固民忘負薪捧土之劬官有進級紀功之賞休哉天之所以應聖德惠蒼黎惜乎公既沒而不及見也於是河內之人聚而言曰前者廣武山王家溝之引河不開則馬營口不得而塞馬營口不塞則是魚鼈

我也公不愛其死以衛我民俾得延朝夕以復覩聖天子平地成天之烈於今之日若之何忘之乃告於邑令徐君石麟相與伐木鳩丁爲廟於郭外二浦營嘉應觀右寢堂門廡畢具士人荊鵬展金永齡張孝先等實司厥役父老子弟不令而趨有弗服勞若蓬諸市始雍正十二年九月越十月丙午落成徐君來請余文刻於繫牲之石先是上命撫臣請祀公河南賢良祠而懷之人猶拳拳焉專其敬於公者以公嘗陟降上下於茲土其神如或臨之也伏能忠初安能惟始其懷人之謂乎乃撮公濬河大略書之且系以銘告後之人無忘公諱鵬年字北溟號滄洲湖廣湘潭人持身治民所在皆著聲績爲時名臣銘曰

昔河之溢滔滔東流沁水交漲漫及歲秋公來自淮萃於廣武道河南行俾復其所我芻孔亟公涕如雨冉決冉塞有萬其杵馬營既陂兗冀既寧公殁而覡遲彼河清帝曰勞臣鞠躬盡瘁秩祀賢良僉哉廷議惟此懷民立社以祠匪私匪媚明德是思我田我廬報以廟食公功不刊視此樂石

齊蘇勒列傳 國史館本傳 節錄

齊蘇勒滿洲正白旗人姓納喇氏以內務府主事出任永定河分司遷侍講祭酒奉命同

河南印刷局印

副都御史牛鈕監修河南武陟等縣決口隄工奏自沁河頭至滎澤縣大隄十八里平衍接築逼隄使全河之水盡歸一道專力刷深不致旁溢授山東按察使命先往河南籌辦黃河隄工時河南巡撫楊宗義奏請於馬營口南舊有河形處修挑引河齊蘇勒同河道總督陳鵬年疏言河不兩行此洩則彼淤有必然之勢馬營口甫經築隄若開引河有旁洩侵隄之慮寢其事雍正元年正月命署河道總督尋實授四月疏言陽武祥符商邱界黃河北岸有支流三道隄繞行五十餘里南岸青佛寺邊有支流一道隄繞行四十餘里不急爲截斷恐刷損大隄已築壩堵絕並接築子隄九千二百八十八丈隔隄七百八十丈三年二月副總河嵇曾筠奏請挑挖祥符縣回回寨引河詔與齊蘇勒商酌嵇曾筠復奏言亟宜乘汛水未發興工不及待會勘既而齊蘇勒至武陟奉詔同總督田文鏡察視引河有無裨益齊蘇勒奏言挑挖引河必須上口正對頂衝而下口有建瓴之勢方可吸引大溜歸入新河借其水力滌刷寬深嵇曾筠所挖引河工已將竣臣往看上口之地勢與現在水向不甚相對改挖上首三十餘丈以對頂衝以迎大溜又往對岸指示建築挑水壩挑溜順行以對引河之口俟水漲時相機開放庶河得以直暢東注而南岸隄根可

保無虞矣奏至諭曰朕慮稽時或料理未妥今覽奏方慰可謂得法矣七年二月卒晉
三等輕車都尉賜祭葬如典禮謚勤恪

河南印刷局印

豫河志　卷二十四　十五

豫河志卷二十五　職官三傳

嵇曾筠列傳 國史館本傳 節錄

嵇曾筠江南長洲人康熙四十五年進士改庶吉士授編修遷中允侍講雍正元年二月擢都察院左僉都御史署河南巡撫六月遷兵部左侍郎是月河決河南中牟縣詔曾筠往督築七月奏劉家莊漫口合龍十一月奏十里店漫口合龍俱下所司知之向例江南河驛各員每歲冬領帑購料備用曾筠疏請豫省黃河兩岸工料亦照此例於每歲冬預撥司庫銀發沿河州縣買貯備用不敷近河百里內外亦發銀購買量給運價庶險工應手不致遲誤下部議行二年正月疏言沁黃交會之姚期營秦家廠一帶皆頂衝請於倉頭口對面橫灘開引河一道俾水勢順流由西北逕達東南勿令激射再釘船幫大壩宜廟建雁翅幫護更於大壩上下酌建挑水壩二三座頂衝勢可減壩工穩固詔允所請又言兩岸隄工久未加幫在在危險北隄起滎澤縣訖山東曹縣界南隄亦起滎澤縣訖江南碭山縣界臣同總河齊蘇勒勘明最險應修處共長十二萬三千七百九十六丈請動帑與工部議從之四月特授河南副總河駐武陟縣專管河南河務曾筠奏河工調遣不

河南印刷局印

敷酌設標下河兵王大臣議駁得旨若無標下河兵難供驅策著再議尋議就近撥河南撫標及河營兵弁隨工調用七月疏言鄭州大隄石家橋迤東一帶大溜南趨應於迎溜處下埽簽樁復於埽灣處建磯嘴壩一中牟縣拉牌寨黃流逼射應下護岸埽加工廂墊建磯嘴挑水壩二其穆家樓隄工坐當頂沖亦應下埽加廂又陽武縣黃河北岸祥符縣珠水牛趙二處隄工近因南岸中牟迤下新長淤灘大溜北趨成頂衝勢應下樓崖順埽加工廂墊以資鞏固部議均如所請十月疏言小丹河自辛勾口至河內縣清化鎮水口二十餘里輝縣五閘安陽縣之萬金渠及恒河閘昔人建閘開渠引水灌田照官三民一之法通渭便民但日久弊生守口之夫違禁賣水致運河淺澀請嚴飭管河各員稽查三日放水濟漕一日塞口灌田如賣水阻運嚴治其罪下部議行三年三月疏言祥符縣南岸回回寨對面淤灘直出河心致河勢南趨回回寨以下迤南等處係單隄且逼省城關係甚重應由北岸舊回回寨至官路李家店一帶舊河身濬引河一道引溜直行俾成東西之勢隄工可得保固諭與齊蘇勒酌量相度而行五月同齊蘇勒奏勘地形西高東下引河可開並於南岸建挑水壩一逼流入引河報可四年四月疏言鄭州薛家寨等處隄

皁溜衙請增修埽壩等工均如所請行五年正月命兼管山東黄河隄工二月條奏河工六事一埽料以柳束爲重豫省向有柳園漸爲河水所浸而此坍彼淤官無界址民多隱占請勅撫臣將現存柳園勘明立界淤地查補還額並飭河員廣爲栽種一印官專司民事係撫臣題授河員專司河工係河臣題授設官分職雖有定制民事河工原無歧視請令河臣撫臣會同保題陞調一豫省隄工向例撥江南河兵千名輪班防守緣因往返需時拔堡夫五百代充但工長汛險不敷驅策請仍照千名之數於堡夫拔補足額其江南撥到千把總六員令各歸專汛另設千總二把總四分隸開封南岸河廳管轄毋庸調撥江南千把總再於原駐武陟千總二員內移其一駐歸德汛所分撥河兵百名交該弁管領一豫省大隄每二里設堡房一令堡夫居之修墊水溝巡查鼠穴今臨河月隄請照大隄例增建堡房防守一祥符縣隄長八十餘里止有管河縣丞應增主簿一開封下北河地方增巡檢二分駐祥符等縣適中之地協同廳汛搶護並稽察逃盜一歲搶工程全賴汛船運料今豫省上自武陟下至廣城撥運無船不能接濟請照江南汛船例每汛造船五隻駕運俱下部議行五月遷吏部右侍郎仍留副總河任是月奏蘭陽縣管梁裘耿四

河南印刷局印

水口一帶隄工河勢衝嚙請將欒蔡耿三水口下埽加廂並於四水口隄南各築月隄作重障又祥符南岸李盤寨程家寨等處應增築月隄陳留縣七八九堡大隄汛水直射隄根隄北舊有隔隄應一例增培部議從之十二月轉吏部左侍郎六年二月疏言儀封北岸水勢衝急雷家寺上首灘崖刷成支河請將舊隄加幫高厚接築土壩一道跨斷支河勿使掣溜侵隄再靑龍岡一帶水勢縈紆將上灣淘作深兜與下灣相對請乘勢開引河一道導水東行則大河之水自暢詔允所請尋擢兵部尚書四月轉吏部尚書仍管副總河事九月奏蘭陽縣耿家寨北岸隄工因積水深潭黃流洶湧請下埽簽樁加幫築壩並將月隄增高加厚從之七年三月授河南山東河道總督八年五月命署江南河道總督疏言豫省黃河北岸荊隆口大溜頂衝應開引河一道自黑堽口至柳園口工長三千三百五十丈請動帑興修允之十一年四月授文華殿大學士兼吏部尚書仍總督江南河道十三年特命總理浙江海塘工程乾隆二年十二月卒遺疏入諭曰大學士嵇曾筠才品優長老成練達久任河道總督茂著勤勞繼膺浙督之命經理海塘工程漸次就緒朕心嘉慰念其外任多年宣召入閣辦事旋聞身患痰疾精力衰頹特遣伊子嵇璜回南省

視並賜葠藥准其回籍調養以俟痊可入都調卽病劇遣太醫馳往療治不意溘逝深爲傷悼加贈少保加祭一次應得卹典該部查例具奏尋賜祭葬如例謚文敏

稽曾筠小傳 陸燿 節錄

稽曾筠字松友無錫人康熙四十五年進士雍正元年河決中牟縣十里店曾筠以兵部侍郎馳往堵築適黃沁並漲漫溢姚期營秦家廠馬營口諸隄因思下流受患其上源必有致患之由露處小舲沿流審視水勢自三門七津建瓴而下歷孟縣溫縣北岸長有沙灘逼水南趨至倉頭口繞廣武山根逶迤屈曲而下勢成兜灣官莊峪有山嘴外伸形如挑水又由西南直注東北沁黃交匯之區秦家廠一帶頂衝受險頻年爲患議就倉頭口開挑引河準對官莊峪下游水口越過山嘴大溜全走中洪秦家廠遂安於磐石二年授副總河請修兩岸隄工建官司設兵夫置濬船七年授河東總督以封邱縣荊隆口密邇運河素稱險要於對岸開挖引河導水東行

稽文敏公事略 子文恭公璜 李元度 節錄

公諱曾筠字松友號禮齋江蘇長洲人本籍無錫公在官視國事如家事冒風雨走河干

不遑食息蓋公治水累用引河殺險之法惟上知公深所謂無不立僉故動能底績所著有防河奏議第三子璜亦由河督大拜繼公武

璜字倚佐一字鬬庭晚自號拙修生九歲讀禹貢恍然曰禹之治水皆自下而上蓋下流宣通則水自順流而下長老咸驚異之曰此子他日必爲名臣能宣汾洮而障大澤者也雍正七年入翰林授編修尋選諭德乾隆六年奏河東總督宜專其職守遇公事不必與兩省巡撫會奏庶免掣肘推諉之弊從之七年遷學士擢副都御史工戶兩部侍郎二十二年授江南副總河三十三年遷工部尚書調禮部三十一年服闋授禮部尚書旋授河東總督兼兵部尚書蒞任後裁埽夫栽隄柳除墊崖貼坡諸弊偶巡河至商邱五堡命幫裹戧十丈衆不喻其意俄而節過白露河官皆慶安瀾酹神張飲公倘欲詣工親勘衆以公積勞咯血勸弗往公不可行至半途飛騎報大隄墊塌八丈幸有新鑲裹戧藉資保衛衆始欸服公之深識遠慮也然亦時有神助出意外者公每巡河輒先屬吏冒風雨或手持畚鍤以行一日宿廟中聞虞城工險馳往其時天甫曉雨雹交下趨視所下埽岌岌欲崩從者皆失色或遮勸勿行公立隄上厲聲叱曰埽去則我與俱去雨雹應聲息隄卒無

恙又因防險宿河隄行館夜聞訇磕聲擁臥褥皆動起視無他黎明報對岸河塌數十丈
公所宿隄下忽漲起沙灘如所塌數人以爲神四十四年以吏部尚書兼掌院學士明年
拜文淵閣大學士五十九年七月薨於位贈太子太師賜諡文恭

按李次青所輯稿文敏公事略全取之國史本傳故不具錄特錄其非本傳所有其言用引河殺險則又能知文敏之深也

白鍾山列傳 國史館本傳 節錄

白鍾山漢軍正藍旗人康熙四十四年由官學生補戶部筆帖式雍正元年遷江南山清裹河同知五年擢淮揚道九年遷江蘇布政使十二年七月授南河副總河十二月擢河東河道總督乾隆元年十二月奏陳河防事宜一河灘土本堪鬆漲發漫灘刷成支河黃水勢分則溜緩沙停正河日致淤高應責成該管官於水落時堵塞支河堅實遲者參處如式者議敘一伏秋水發搶護險工購募夫料刻不容緩請撥河南司庫存公銀五千貯南岸鄭州交歸德府庫五千貯武陟封邱縣庫動用仍按數歸款永遠儲備均下部議行三年十一月疏言河岸查出灘地葦地栽蘆葦備用造册報部十二月疏請管河州同等

官防守隄埽懇照江南例每員歲給銀六十兩爲養廉按季支領奏入報聞八年調江南河道總督十一年革職發往河工効力十五年授直隸永定河道十八年十一月加按察使銜協辦南河事務十九年授河東河道總督二十年署山東巡撫二十二年調江南河道總督二十六年卒賜祭葬如例諡莊恪

白鍾山小傳　陸燿　節錄

白鍾山字毓秀號玉峯正藍旗漢軍雍正十三年總督河東河道更定夫役工價歷任兩河四十餘年於河道情形工程利弊熟悉周知參疏數十餘上著有豫東宣防錄卒諡莊恪

張師載小傳　陸燿　節錄

張師載字又渠號愚齊儀封人伯行子也康熙丁酉科舉人乾隆十五年同大學士高斌協理江南河務十八年徐州張家馬路黃河漫溢褫職後復起爲河東總河以豫省黃河工多暗險廣開引河挑土築隄自此兩岸無繼免受衝刷卒諡愨敬

李宏列傳　國史館本傳　節錄

李宏漢軍正藍旗人由監生捐州同河工効力授山陽縣外河縣丞乾隆元年授揚州府揚河通判四年遷淮安府山安同知服闋補徐州府宿虹同知十六年擢河庫道十八年解任二十二年發直隸以河務同知用兩江總督尹繼善奏留南河萃補河庫道調淮徐道二十九年六月擢河東河道總督十一月奏黃河北岸之耿家寨埽工爲豫東第一險要自乾隆九年下埽修防歲費帑料盈萬伏秋屢經搶護去冬於對河灘挑引渠冀分溜勢今秋全河大溜暢分入渠衝刷寬深險工淤閉以二十載廂修之工一旦化險爲平得旨嘉獎交部議敘三十年三月調江南河道總督諭曰李宏甫由監司擢用總河現在所屬道廳多係舊時同寅恐難免有瞻徇掣肘之處著高晉統理南河事務李清時向任東省熟於運河事務而黃河隄岸機宜尚恐未能深悉此時河東總河仍著李宏協理李清時速即同往豫省講習河防諸務俟伏秋汛過李宏再赴南河新任七月疏言黃河至河南陝州嶠壁橫向水從石出名曰三門寬不過七八十丈至孟縣兩岸漸無山岡始闊十餘里北岸武陟縣南岸滎澤縣始有隄工防衛丹沁兩河由武陟縣木欒店匯入伊洛瀍澗四河由鞏縣洛口匯入遇雨多水發挾沙而行勢遂浩瀚是以上南河廳屬之胡家屯

埽樁等處首掃其蜂工最緊要迤下順軌東流惟土性浮鬆逢灣掃刷黨黄與沁洛並漲兩岸節節須防乾隆二十六年秋汛時沁洛長一二丈而寧夏迭報河水長丈餘一時並下故處處受險若先後長落則大河儘可容納工易防修即如本年夏間伊洛並未長惟寧夏水長五尺二寸陝州城外萬錦灘亦長三尺五寸而下游各廳僅報數寸至尺餘不等道遠流微又有三門關鎖水勢遞減工程鞏固此其明驗上游長落大小關工程平險不可不留心防衛臣思三門爲黄河出口要區鞏縣城北河道爲伊洛瀍澗入河總匯現咨河南撫臣飭陝州鞏縣各立水誌每年自桃汛起霜降止水勢長落尺寸逐日登記據實具報至沁水飭黄沁同知於木欒店龍王廟前另立水誌查報遇陡漲照寧夏例飛報江南總河關會上下河員相機修防實於工程有益又濟瀆出河南濟源縣西北三里濟瀆廟後匯㶏河由孟縣迤東達黄河岸高河低無衝溢患又大丹河出山西高平縣至河內縣之丹谷口築攔河碎石壩遏令由小丹河歸衛濟運壩下設堰九分十九渠石隙洩下之水聽民溉田名九道堰潤民並賴別經河臣張師載奏於碎石壩下丹水尾閭附近沁水處咸築土壩攔遏臣今細訪十九渠錯出分流並未全由大丹河歸沁下游土壩無

並應停築壩惟夏秋培砕石塘以防水勢衝刷其壩底洩水堰密塞以土並將斗門下小丹河不時查驗遇淺窄疏令與斗門一律俾丹水暢達衛河以收實效三十六年八月卒賜祭一次子來翰官河東河道總督

按查辦豫省泉源河道疏已見工程門係錄自皇朝經世文編與本傳所列各有詳畧且經世文編著銜曰南河總督不知此疏仍是協理東河時事則本傳敘次較晰也故並載之凡奏疏已別見而仍於本傳內錄之者仿此

李宏小傳 陳儀 節錄

李宏字濟夫一字用芸號灘亭正藍旗漢軍初以州同知薦歷江南河庫道二十九年授河東河道總督以江南耿家寨險要察勘對岸引渠切灘順勢帑節工平赴陝州三門查探黃河來歷諸度久安之計

兵部侍郎都察院右副都御史安徽巡撫何公裕城墓誌銘 邵晉涵 節錄

公諱裕城字韞天惺菴其號也世居浙江山陰考諱焆歷官兵部尚書都察院右都御史總督河南巡撫事贈太子太保入祀賢良祠謚恭惠公繼侍官署講求經世之務恭惠

公嘗開示端緒輒能申繹其指恭惠公喜曰是必能繼吾志以例捐道員待銓旋遭恭惠公之喪恭惠公蒙賜祭葬畢詣闕謝恩稽首道左上垂念舊臣慰勉之丁酉服闋即授山東督糧道未浹歲調河南河北道己亥移江南河庫道辛丑調淮徐道會河南靑龍岡工漫河注微山湖銜運道沛沈於水上以治河節使亟宜擇人特諭曰淮徐道何裕城前隨伊父何煟熟悉河防著署河東河道總督時壬寅八月先是公在子舍嘗著江南全河指要論治河宜並用節宣不當執河不兩行之說偏於節束及由河北道移任江南臨行上當事書指陳南北岸受險情形而北岸之患大不豫謀增培弊難防護未幾言驗公濡染家學審測地形得諸目驗精心條畫確然可見設施人第見公由監司不數載晉持使節爲榮遇豈知公推求利病調劑時宜以仰副簡畀者有由來矣是時蘭陽儀封方改築河隄命重臣董其事公往來相度相與籌久遠策格隄以護大隄加挑水壩以通南溜疏伊家河以洩湖水引渠合壩遂成新河之功癸卯四月授河南巡撫協理河務暨河督蘭公第錫和衷集事量溝橧築土格傍壩岸加防風並著成績乙巳調陝西巡撫復調撫江西庚戌調安徽巡撫乾隆五十五年卒

故河南山東河道總督司馬公騊墓誌銘 孫星衍 節録

公姓司馬諱騊字雲皋號濬川江寧府江寧縣人公留心經世之學講貫河防水利農政諸書故大學士高文恪公晉節鎮江左延入幕府以公明習河務奏請以從九品留工效用乾隆二十九年奉旨分發南河以勞歷山陽縣主簿興化縣縣丞通州州判海州州同高堰通判山安同知高文恪進年奉命塞河徐豫無役不從皆能規度指畫敷陳曲當凡所入告悉蒙俞旨五十年奏擢江南河庫道五十五年擢授江西按察使嘉慶元年擢山西布政使未幾調任山東特命兼理河務旋擢河南山東河道總督曹工逾年堵合不成奏請停工奉旨革職留任三年冬堵築豫省睢工漫口公五閱月行風雪中寢食俱廢豫撫廉愼和衷共濟工員踊躍一舉成功奏報堵合奉旨賞復頂戴並免代賠銀六萬兩遂卒於曹單工次上聞軫惜降旨議卹

中憲大夫開歸陳許兵備道加按察使銜彭公墓誌銘 姚鼐 節録

公諱如幹字天培惠州陸豐彭氏也乾隆丙戌科成進士以甲次得汝寧府汝陽知縣擢南陽同知授汝寧府調開封府授開歸陳許道職兼理河務國家數十年內屢有河患矣

河南印刷局印

而公在任三值為嘉慶四年決儀封數月而塞八年秋決祥符逾月而塞冬決衡家河其患最鉅逾半年乃塞天下所謂衡工也公皆在工所相視形勢之便籌思導塞之宜指麾畚挶之事不避風雨昏夜故功每易成卒以督辦衡工引河勞瘁致疾猶勤不輟以至於沒是為嘉慶八年十一月二十四日事聞詔謂公深悉河務實心任勞力疾不移致沒工次故加恩賞給按察使銜異數也

太子少保兵部尚書總督江南河道提督軍務兼右副都御史徐公墓誌銘　姚鼐

節錄

公諱端字肇之湖州府德清徐氏考涉縣知縣諱振甲以公貴贈太子少保資政大夫資政公始任江南知蕭碭清河縣皆臨河公年二十從官佐治於隄防疏導之法身習心解及從之涉縣助挑引河工竣先諸吏阿文成公奉使在河上見以為才公於例應選通判即奏留於河東河工遂補蘭儀通判逾三年蘭儀改為同知即以公升任調睢甯及開封下南河同知其間屢遭大河漲勢塞禦得宜河南稱其績乾隆五十八年護開歸道印旋署兗沂曹濟道其年睢州河決曹州河涸公豫築河北兩壩以待水至及睢州決口合河

至曹漲甚賴堵以安嘉慶九年令以三品頂戴署河東河道總督公至衡工决口初塞善後之政皆公經畫也

栗恭勤公家傳 梅曾亮

公姓栗氏諱毓美山西渾源州人嘉慶六年以拔貢生官河南知縣遇災年放賑穀以實惠民不以上官意爲損益遷光州知州攺寧陵知府徙開封歷河南糧儲道遷湖北按察使河南布政使道光十五年授東河河道總督公前知武陟縣黃沁隄馬營壩工皆親其事及是益勤詢河兵官久於河者以地勢水脈前任官行事之當否蓋北岸自武陟至封邱二百餘里南岸自祥符下汛至陳留六十餘里皆地勢卑下多串溝串溝者在隄河閒其始但斷港積水而已久之溝首受河又久之溝尾入河而串溝遂成支河於是以遠隄十餘里之河變爲近隄之河而隄河相遠之處昔皆無工不儲料者也於是以無工之處變爲至險之工故人不及覺覺不及防往往潰隄爲大患公乘小舟周歷南北岸北岸原武汛串溝受水已寬三百餘丈行四十餘里至陽武汛溝尾復入大河又合沁河及武陟滎澤諸灘水畢注隄下兩汛素無工故無稭石隄南北皆水不可取土築

壩公即收買民磚於受衝處拋磚成壩四十餘晝夜成磚壩六十餘所壩始成而風雨大至支河首尾皆決開數十丈而隄不傷公由是知磚之可用又試之原陽越隄及攔黃埝及南岸之黑岡皆效遂奏請減買秸石銀兼備磚價千磚爲一方價六兩是後每有工役碎石及秸埽用大減數年內省官銀百三十餘萬而工益堅有不便其事者其說頗上聞公前後陳奏曰護隄之防率用秸埽然埽能壓激水勢俯嚙隄根備而不用又易朽腐碎石坦坡惟鞏縣濟源產石較近而採運已艱河工失事多在無工處所千里長隄勢不可盡爲儲備而河勢變遷不常衝非所防遂爲決口磚則沿河民窰終歲燒造隨地取用不誤事機且磚及碎石皆以方計而石多嵌空磚則平直每方石五六千斤而磚重三分之一一方石價購磚兩方而拋磚一方當石兩方之用其質滯於石故入水不移堅於秸故久水不腐又土不能築壩水中磚則能水中拋壩即溢成坦坡亦能緩受急衝化險爲易或謂磚可保將來未生之工不能用於已生之後然使將生者可保即別無已生之工昔衡工之決因灘陷埽不能施馬營壩之決因補隄不能得碎石使知用埽不如拋磚收磚易於運石則數千萬之官銀可省奏入上知公忠實可任且綜畫周密卒皆允之屢詔褒

賞詒公任五年河不爲患二十年薨於位上爲之震悼賜諡祭及太子太保銜時長子烜已官刑部郎中乃賜次子燿進士公在工有風雨危險必身親之平居時河曲折高下向背皆在其隱度每日水勢抵某所急備之或以爲迂且勞費公曰能知費之爲省乃眞能省費者也水至乃大服故十五年原陽之支河十八年盛漲八尺之水皆決口而有餘卒以無事或以爲天幸然前公任三年祥符決公卒逾一年南岸又決二十三年又決則豈非人事哉宜吏民羣思公以爲神且立廟也

梅曾亮曰公之令安陽武陟守開封時折疑獄如神他人有一事足爲循吏然於公猶非其大者傳曰心誠求之雖不中不遠公治河能通物性以蕃利誠壹故也況求民情也哉

栗恭勤公事畧　李元度　節錄

公姓栗氏名毓美字友梅山西渾源州人本朝河臣自朱公之錫後若靳文襄張文端張清恪齊勤恪嵇文敏張懿敏黎襄勤諸公皆有名績然修築率仍舊法易楷石以塼自公始非卓識精思身試而得其所以然之故不能創此法也

河南印刷局印

按武進盛康所輯經世文續編載梅氏所著栗恭勤公傳云字樸園而柏梘山房集中栗恭勤公家傳無字至李氏所輯事畧亦皆取之於柏梘山房集而云字友梅互有不同

請將已故升任道員政績宣付史館摺

河南巡撫裕寬奏稱據武陟縣紳士東河候補同知孫鏡塘舉人熙王元等呈稱查已故山東按察使前任河南彰衛懷道曾秉哲光緒十三年補授河南彰衛懷道方其奉檄履任也甫入境正値沁河隄漲小楊莊大隄漫決水勢洶湧西南各鄉頓成澤國護城隄不沒者僅尺許縣城形如釜底人心惶懼紛紛遷徙故臬司冒險渡河入城受篆即躬率文武露處危隄力籌防護而護城隄多有滲漏灌注若瀑布土料皆不得力時復大雨不止情勢危殆人皆相顧失色故臬司亟購絮衣數百件往來泥淖中親督塡塞復竭誠慚禱河神顯靈默佑水勢漸平轉危爲安斯時萬目覩瞻咸以爲精神所感人心大定故臬司復多僱船隻捐購餱餅派員分赴被水各鄉竭力拯濟災民露宿高阜或避於樹顚屋頂救出男婦不下數千人一面請帑堵築決口身先士卒奔馳於嚴寒風雪中因勞致疾不

少休息人咸感奮踴躍赴工得以迅速合龍正在籌辦善後準委調署開歸陳許道百姓聞之不期而集者數千人攀轅臥轍使不得行且有奔訴於上官堅請留任得允所請歡聲雷動十五年河內縣之王賀莊決口故臬司辦急賑救難民堵築決口經理善後殫心竭力一如前事旋擢山東按察使數月因病出缺推其致病之原實由於兩次漫口憂勞交集寢饋不遑夙有氣虛頭眩之症因是而發益加增劇終竟以此不起遺具履歷事實清冊呈懇奏請宣付史館立傳等情當經批司核議據布政使廖壽豐詳請具奏正在核辦間准山東巡撫臣福潤轉據籍隸河南之山東濟東泰武臨道張上達等亦以該故臬司曹秉哲前因沁工積勞致疾遺愛在民呈請轉奏立傳該撫臣以曹秉哲在山東服官祇日無幾事在豫省咨會核辦前來查已故山東按察使前任河南彰衛懷道曹秉哲其任彰衛懷道時值河流泛決奮不顧身蹈險搶護安危爭於呼吸保全功在生民至今異口同聲群情感戴洵屬捍災禦患治蹟昭彰伏讀同治二年十一月二十四日奉 上諭祁寯藻奏弭盜安民必資循吏請分別表揚錄用一摺嗣後各省大吏務宜加意訪查其有政績官聲遺愛在人者著奏明宣付史館編入循吏列傳等因欽此欽遵在案今該故員

河南印刷局印

曹秉哲政績卓著遺愛在人合無仰懇天恩俯准將已故山東按察使前任彰衛懷道曹秉哲政績宣付史館爲之立傳以彰治行而順輿情奉硃批著照所請該衙門知道

前湖南巡撫吳君墓誌銘 俞樾撰 節錄

君諱大澂字清卿號恒軒吳氏明成化間有諱敏學者自歙縣來官蘇州府教授遂家焉其後乃世爲吳縣人君同治三年舉於鄉七年成進士改庶吉士散館授編修光緒初補授河南河北道十四年自廣東巡撫命署理河東河道總督時鄭州河決久未塞至則躬駐工次鈎稽稭料巡閲埽壩懸搆重賞日夜督催兵役感奮人人用命甫四閲月大功告成支用省約除原估銀六十餘萬實授河督賜頭品頂戴

吳尚書家傳 錢基博撰 節錄

光緒十四年秋七月詔署理河東河道總督以河決鄭州也河工自古爲利藪先是十三年秋八月鄭州楊橋河決纔一綫洞耳當事者利其漫溢以決愈大上請帑愈多便侵牟置不治遂成大工耗費巨萬萬僅乃得竣事至是再決壞隄五百丈上聞請帑乃褫署河督李鶴年職以大澂代之大澂以八月履任所請帑耗且半工未有端緒再請必不愈大

澂變無所出憤以軍興律繩所屬官限日竣工否且議斬若曹已以身殉皆大懼夙夜督築冬十二月十六日夜躬禱河上投以佩璧乃合龍支用省約猶餘原估銀六十餘萬焉方事之殷也大澂輒毀冠服短後衣雜土工中赴料場取稭料負之取工賞察其有無折扣吏不知爲大澂之嘗試之也果短折與賞大澂隨衆爭吏怒喝捽大澂下欲杖而從者踵後排衆前叱曰爾輩何敢然河帥也吏大駭而大澂起亦喝捽吏下杖枷河干他吏皆惕息無效尤者大澂嘗勘河武陟身偏手把車蹴闖東門門卒譏爲河督也鳴炮故事大吏至必有先導河北道曹吉珊假息在署聞炮聲猝不曉誰何至方詫怪而大澂已戟勘來投刺謁矣吉珊倉皇便服出見略詢一二語即令備輿謁車馬局紳王少白握手道故吉珊爲具餐待刺延迎却之而少白亦爲設食大澂以布衣植留食以示敬論者美焉

按錢傳詳於儉誌其言鄭工初決情形尤碻蓋非案牘所能有也惟言再決則少誤鄭工當時本未合龍乃走五占耳

許振禕列傳 國史本傳 節錄

許振禕江西奉新人由拔貢生中式舉人成進士改翰林院庶吉士散館授編修光緒八

河南印刷局印

年京察一等記名以道府用八月授河南彰衛懷道沁河發源山西沁州流入河南境經河内武陟縣地以達黄河每遇盛漲水勢湍悍幾與黄埒歲修費向斂自兩邑民戶恒六七萬猶不足請庫帑益之振禕自倡捐五百金設局復借款發交紳士試辦一年即以一年實用之數定爲歲修常款吏不便謀尼所爲適小虹橋等處疊出大險人咸惴恐謂此舉若敗不惟賠償鉅款且不能自全振禕仍請奏罷兩縣苛斂年由司庫發銀二萬四千兩官督紳辦著爲例河南巡撫涂宗瀛據以奏聞允之黄沁廳民埝故民修者頻年黄沁交嚙湍深土薄久將不支振禕以大祲之後民不堪再擾乃輸巳財建兩壩護舊埝民困大蘇九年十月以河工安瀾賞二品頂戴十一年六月擢江寗布政使十六年二月擢河東河道總督是時竭天下財力經營鄭州而河事益敝一如昔日會言者指陳河工積弊令振禕查議振禕奏請改章以爲言官條陳河工重在保險先保險而後籌減費人所共知也先減費而後任保險人所不敢言也此事固非改章不能行實非河臣身任其事亦不能行請先臚弊端而後明辦法其一曰把持之弊各署皆有幕友河工獨日庫儲其於例案茫然不解獨鈔撮部中報銷之册以爲秘本在河督署中者則以險工恐嚇使之不

敢輕議更張而於奏報無工處所亦必故作張皇鋪排以爲見好受謝地步在河道署中者則以力請添款暗阻發款爲務其在各廳署中者則以節省工料勸留銀錢爲務此弊不除各官皆爲蒙蔽而河臣受累尤深擬請改章以後河臣一概不延用庫儲其二曰轇轕之弊各廳歲辦稭料磚石本係領款所購而於交卸時復將餘存列入交代且於道庫陸續扣領故有已故廳員其子孫仍支領一二十年者因之有料亦不辦工帑積累日家私其實稭料早化灰塵磚石亦歸烏有紙上鑿空坐收厚利此弊不除政體何存擬請改章於霜清後查取各廳所存稭料磚石概行充公不准再立交代名目以斷葛藤其三曰失算之弊大凡稭料早買則價廉後買則價貴磚石先辦則有濟後辦則無及同一支放早可供急變之需遲則有貽誤之患查河工款項名目糾紛有所謂額款者有所謂奏添節省防險者有所謂另案磚工埽工土工石工者其實皆取之司庫分別各名以便報銷而弊端即由此出約計每年報銷六十餘萬兩而司庫必陸續撥給或遲之又久而後撥給有事不能爲先時之備無事究可便中飽之私此弊不除無從覈實擬請改章每年請款即以六十萬兩爲率尋常搶險似可不必加添而將各種名目概加删除特名之歲修

額款六十萬兩而已其四曰忙亂之弊河臣以公事責之兩道兩道以公事責之七廳七廳以公事責之外工問其底蘊半未深悉遇有險工加倍張皇即求添款計較已定先請河道次請河督至則人工紛紜無從稽覈用料無料用石無石臨時採辦輒稱借墊河臣但主添款了事不思歲領之款所辦何事何至有工即爾竭蹶謂爲無弊其誰信之此弊不除則奏報幾無實語擬請改章河臣宜以身率屬先事預防庶不淆混四弊既明然非另設河防一局究竟不能更易舊轍擬歲支司庫銀六十萬兩其四十八萬兩概歸七廳赴司支領另提十二萬兩設一河防局專管先時籌備臨時策應隨時稽察無估有工程其款由司庫徑領到工銀錢不許入局疏上從之先是振禕任河北道時欽差大臣孫毓汶爲拉布查辦河工振禕即進以改章之說幾爲通工所不容及是迺得行其志十七年加築滎澤大壩九堡十一堡建築楊橋順河長埝十八年加築廣武山石壩建築胡家屯來童寨各石壩河以大治十九年因連年督辦河防諸臻妥協予優敘二十年振禕以京察實心任事勞怨不辭下部優敘二十一年十二月調廣東巡撫二十四年七月裁廣東巡撫缺召內用旋乞假修墓二十五年二月卒二十六年四月署兩江總督江蘇巡撫

毘傳霖臚陳振禕服官各省政績請附祀故大學士曾國藩專祠二十九年七月河南巡撫張人駿亦請以振禕附祀豫省故大學士曾國藩專祠並將政績宣付史館立傳詔均如所請行

按奉新請改聲原奏係言官條陳河工重在惜費臣之條陳河工重在保險先保險而後籌減費人之所共知也先減費而敢任保險人之所不敢言也又把持弊段末係故臣此次抵任即不延用庫儲衆論譁然臣不爲動似本傳微有不符

論曰豫河設官之制具備於雍正以後故凡紀載之可依據者若雍正時所修之河南通志乾隆時所修之續河南通志與皇朝通典以及光緒時所修之會典事例足以綜其始終蓋皆有可言焉河南通志所載者則雍正二年設河南副總河七年設河東正總河管理河南山東兩省河道駐劄濟寧州副總河駐劄蘭陽縣河南管河兵備道駐劄省城分守河北河務兵備道駐劄武陟縣開封府上南河同知駐劄中牟縣楊橋開封府下南河同知駐劄開封府城開封府上北河同知駐劄陽武縣開封府下北河同知駐劄祥符縣陳橋鎮懷慶府黃河同知駐劄武陟縣二鋪營鄭州州判駐劄州城歸德府管河通判駐

河南印刷局印

劄考城縣懷慶府沁河通判駐劄河內縣清化鎮滎澤縣縣丞陽武縣縣丞中牟縣縣丞祥符縣縣丞陳留縣縣丞蘭陽縣縣丞儀封縣縣丞虞城縣縣丞武陟縣縣丞河內縣縣丞修武縣縣丞原武縣主簿陽武縣主簿封邱縣主簿祥符縣南岸主簿商邱縣主簿考城縣主簿虞城縣主簿孟縣主簿滎澤縣主簿各駐劄其縣城祥符縣主簿駐劄祥符縣陳橋鎮蘭陽縣主簿駐劄蘭陽縣王里集儀封縣主簿駐劄儀封縣小宋集武陟縣沁河主簿駐劄武陟縣木欒店祥陳巡檢駐劄陳留縣黃李集蘭儀巡檢駐劄蘭陽縣張村集懷河營守備駐劄二鋪營豫河營守備駐劄祥符魯家寨祥陳二汛千總蘭儀二汛千總歸河千總秦家廠千總祥陳二汛把總蘭儀二汛把總原陽封三汛把總滎鄭陽中四汛把總各一員河兵一千名秦家廠等工河兵一百名武陟縣黃河堡夫一百名鄭衛堡夫九百七十四名新添堡夫三百四十名續河南通志所者載則裁沁河通判改爲懷慶府黃沁同知改歸德府管河通判爲儀考通判添設歸德府商虞通判添設曹儀通判裁陽武縣縣丞添設永城縣縣丞夏邑縣縣丞移懷河營守備駐陳橋鎮豫河營守備駐埽頭鎮裁秦家廠千總添設陳蘭北汛千總改祥陳二汛千總爲祥陳蘭三汛千總各一員河

兵一千零九十二名堡夫一千三百九十名埽夫四十名皇朝通典所載者則河道總督
山東河南一人開歸陳許道轄上南河下南河同知二人儀考商虞通判二人十二汛州
判一人縣丞七人主簿四人彰衛懷道轄懷慶黃河開封上北河下北河同知三人懷慶
河務曹儀河務通判二人二十汛縣丞八人主簿十人巡檢二人豫河懷河二營守備轄
七汛千總四人把總三人光緒會典事例所載者河東河道總督所治爲東河開歸陳許
道河北道管黃河開歸陳許道轄河廳三豫河營三上南河廳同知一人所屬三汛州判
一人縣丞二人下南河廳同知一人所屬三汛縣丞二人主簿一人中河廳通判一人所
屬一汛縣丞一人上南河營守備一人所屬四汛千總一人把總一人外委二人下南河
營協備一人所屬一汛把總一人河北道轄河廳四懷河營四祥河廳同知一人所屬一
汛主簿一人下北河廳同知一人所屬三汛主簿二人巡檢一人黃沁廳同知一人所屬
五汛縣丞二人主簿三人衛糧廳通判一人所屬三汛縣丞一人主簿二人祥河營都司
一人所屬一汛把總一人下北河營守備一人所屬二汛千總一人外委一人黃沁營協
備一人所屬三汛把總一人外委二人陽封營協備一人所屬四汛千總一人外委三人

河兵一千二百五十六名堡夫一千三百九十六名柳船長夫二十六名埽工長夫三十名椿埽夫四十名豫河官制先後設置如是顧通典所載彰衛懷道所轄尙有彰德河務衛輝鹽河兩通判林縣管河典史可決其非黃沁兩河已從刪即所謂二十汛者亦必有彰衛兩通判所轄者固無由分晰之矣蓋順治初以河道總督一員轄直隸江南河南山東等處河道由山東濟寧州移駐江南淮安府所重者在下游入海之路其勢不足兼顧故河南河務號爲專官者惟管河道與南河北河兩同知歸河通判數人一切受成於巡撫平時工程之事大率倚辦於州縣而開歸睢陳各道府亦復兼河督率州縣以從事故廳汛之制未備康熙始增設丞簿分畫隄岸至雍正時別於南河而名曰東河或曰北河道廳營汛之制繼總河而賡續成立遂分地而治矣自是而後因時制宜者增裁移改亦復夥頤蓋東河既設總河仍有副總河乾隆後始龍副總河不復設嘉慶時暫設即裁光緒時乃裁河督而併於巡撫復康熙以前之故事復設河北道後撥開歸陳許隸管河道而專轄南岸是爲南北兩道之始此其大者廳營更迭尤多要以工程之險夷有無爲歸試取兩通志與通典所載證之會典事例其不同者蓋十之五六會典事例實爲裁乾河

五廳之後最近之制此後惟衆工鄭工兩度略有增易而已設官既周備矣而所以制之之道亦有其要河之治也則在事凡有勞勩者咸得甄叙最著者如靳文襄公輔勤恪公齊蘇勒乃荷延世之賞與武功同其敗也則自總河以及所司之道廳汛營重者或荷校或遣戍雖末減亦且降黜或有畏譴而自死者盖由於恤民之意深故官司百執事之人莫不奔走後先凜於所職河雖不能無敗而必求其所以禦敗之道故二百餘年以績著史乘而譽留人口者前後相望爰取總河巡撫道員同知通判表其姓名於右官職增裁移改大率以工程爲重故有見於工程門者總河巡撫封疆重任有制敕可稽道員而下則乾隆三十二年以前皆詳以有河南通志續通志也以後則略文籍叢殘之故也其時之約略可計者則著於表乃有並其時都不可得而僅有其姓名者如開歸陳許道徐繼鏏彰衛懷道王蘇懷慶黃河同知陳儀黃沁同知吳廷清武錫彤金人文白樹屏上南同知盧圻祥河同知蕭彦中衛糧通判王蔡初睢寧通判龔瑞毅汪青蘩於表且無所置之事之無可奈何者也然班孟堅表百官於九卿已不能詳而王介甫之記呂沖之作度支副使廳壁題名則有得其在事之歲時者有得其官者有僅得其名者夫漢之九卿宋之

河南印刷局印

三司馬副使皆顯官也又自宋初以至嘉祐五年不逾百年而其難全也已如此然河防之任以總河爲重道廳以下皆承符從事者也河之治否繫總河是賴二百年來補偏救敝因事圖功不必出於一迹而自歸於治由其擘畫犂然有當於人心也故於表之外仿吳江陸氏之治河名臣小傳取之於國史本傳與私家所撰之碑傳誌銘行狀兼用嘉興錢氏碑傳集湘陰李氏耆獻類徵纂輯之例若兩者皆闕則以請付史館之疏稿列入亦錢氏兼采德政碑之意也固皆著績於當時聲稱彪炳於奕禩者非徒揚前賢之功業亦欲表其涂軌使後之人得所圭臬云爾

則例定於部不刊之典也章奏由於疆吏因事以圖功也當官而行者舍是誠末由矣然其言有範欲揣度今古究極事情或非此之謂則私家之著述又烏可廢哉故掇其言之切要而足見諸措施者附著於編或更事已久將本其所得以詔來者或身雖不得其位而心知其意藉是爲輿人之誦焉然河患之亟初惟江南士大夫殫精研思以深求其利病者於南河居多言東河者固寥寥今之所載將毋病其儉乎然於三百年來治河之術與夫中州之大役亦可得其大凡矣

河南通志　河防事宜門　節錄

潘季馴河防一覽曰水以海爲壑向因海壅河高以致決隄四溢談河患者皆咎海口而以濬海爲上策竊謂海無可濬之理惟當導河以歸之海則以水治水即濬海之策也然河又非可以人力導也欲順其性先懼其溢惟繕治隄防俾無旁決則水由地中沙隨水去即導河之策也

又曰水分則勢緩勢緩則沙停沙停則河飽尺寸之水皆由沙面止見其高水合則勢猛

勢猛則沙刷沙刷則河深尋丈之水皆由河底止見其卑築隄束水以水攻沙水不奔溢於兩旁則必能直刷於河底一定之理必然之勢此合之所以愈於分也　又曰欲疏下流先固上源欲遏旁支先防正道蓋築塞似爲阻水不知力不專則沙不刷阻之乃所以疏之也合流似爲益水不知力不宏則沙不滌益之乃所以殺之也　又曰治河者無一勞永逸之功惟有補偏救弊之策不可有喜新炫奇之智惟當收安常處順之休勿持求全之心苛責以爲難之事勿以束淤之見强制乎叵測之流勿厭已試之規遂惑於道聽之說循兩河之故道守先哲之成矩便是行所無事舍此他圖即孟子所謂惡其鑿矣

又曰河流日久土日鬆土愈鬆水愈濁平時之水以斗計之沙居其六一入伏秋則居其八矣以二升之水載八升之沙非極湍急即至停滯故水分則流緩流緩則沙停勢所必至草灣一開而西橋故道遂淤崔鎮一決而桃淸以下遂澀崔家口決而秦溝遂爲平陸近事固可鑒也　又曰隄以遥言何也蓋縷隄切近河濱束水太急怒濤湍溜必至傷隄遥隄離河頗遠或一里餘或二三里伏秋暴漲之時難保水不至隄然出岸之水必淺既遠且淺其勢必緩緩則隄自易保也　又曰或問云土之有川猶人之有口也治水而防

其川猶止兒啼而塞其口故禹之治水以導而今治水以障毋乃止兒啼而塞其口乎應之曰昔白圭逆水之性以鄰爲壑是謂之障若順水之性隄以防溢則謂之防防之者乃所以導之也河水盛漲之時無隄則必旁溢旁溢則必泛濫而不循軌豈能以海爲壑耶故河以海爲口障旁決而使之歸於海正所以宣其口也

一築隄　凡黃河之隄必遠築大約離崖須三二里庶容蓄寬廣可免決齧切勿逼水以致易決隄之高卑因地勢而低昂之先用水平打量毋一槩以若干丈尺爲準務取眞正老土每高一寸即夯杵三二遍若有淤泥與老土同第須取起曬晾候稍乾方加夯杵其取土宜遠切忌傍隄挖取以致成河積水刷損隄根驗隄之法用鐵椎筒探之或間一掘試隄式貴坡切忌陡峻如根六丈頂止二丈俾馬可上下故謂之走馬隄工費凡版築者每土廣一丈高一尺爲一方計四工土近者每工鍬三分最近二分土遠者四分如隄根六丈頂二丈須通融作四丈折算此計土論方之法也如新隄則先計舊隄若干今增高闊若干亦以前法折算

一塞決　凡隄初決時急將兩頭下埽包裹官夫晝夜看守稍待水勢平緩即從兩頭接築如水勢洶湧頭裹不住即於本隄退後數丈挖槽下埽如裹頭之法刷至彼必住矣此

謂褑頭褁也如又不住即於上首築逼水大壩一道分水勢射對岸使回溜衝刷正河則塞工可施矣塞將完時水口漸窄水勢益湧又有合口之難須用頭細尾粗之埽名曰鼠頭埽俾上水口闊下水口收庶不致滾失而塞工易就也埽以土勝爲主埽臺須用臥羊坡以便推挽楸頭繩須要緊扯以防下淌又須時時打㩧令其深下仍覓慣會泅水之人入水探驗埽底著地方下簽樁簽樁須要酌中埽埽釘著方爲堅固倘有數寸空懸未有不敗事者如寒天或水急不能泅水即看楸頭寬鬆便是著地之驗繫繩留橛令人看守略有走動便須另下一橛橛頭上塡記第幾埽楸頭滾肚明白以便查點收放埽面出水未高仍加一小埽不可多用土牛推埽時易動故也此等事須要勇往直前俗謂之搶埽稍稍逗溜必有後悔（如用大埽長五丈高六七尺者用草六百束每束重十斤榆柳一百二十束每束重三十斤如無柳梢以蘆代之草繩六十套每套四十二條每條長二丈四尺榕木花樁撒頭滾肚繩四條共用麻二百五十斤土夫遠近不等難以預計中埽並土牛工料以次遞減）

一築順水壩　俗名雞嘴又名馬頭專爲喫緊迎溜處所如本隄水刷淘湧雖有邊埽難以久恃必須將本隄首築順水壩一道長數十丈或五六丈一丈之壩可逼水遠去數丈隄根自成淤灘而下首之隄俱固矣安埽之法上水邊廂埽宜出將褁頭藏入在內下水

埽宜退藏入裹頭埽內庶水不得揭動埽也（如築長六丈圍四丈高一丈用埽牌兩廂邊用埽二行裹頭二行中間填土每行用埽三層共計用中埽十八箇每箇長五丈高三尺用草四百束柳梢八十束草繩四十條排樁簽樁共用樁木四根人夫二十五工共用擁埽隄夫四百五十工運土隄夫二百工供不議工食共用草七千二百束柳梢威草一千四百四十束草繩七百二十套樁木七十二根行繩十二條每條重四十斤共用繂四百八十斤如無柳梢以草代之）

一下護根乾埽　凡隄係埽灣須預下乾埽以衛隄根此埽須土多料少簽樁必用長壯入地稍深庶不坍蟄（如下長三丈高三尺埽一個用草一百六十束柳梢四十束草繩十二套樁木三根量用繂作行繩用隄夫二十工不議工食）

一造滾水石壩（即減水壩）　爲伏秋水發盈槽恐勢大漫隄設此分殺水勢稍消即歸正槽故建壩必擇要害卑窪去處堅實地基先下地釘樁木鋸平下龍骨木仍用石楂催鐵椗縫方鋪底石壘砌雁翅宜長宜坡跌水宜長迎水宜短俱用立石欄門樁墩層其地釘樁須箚鷹架用懸硪釘下石縫須用糯汁和灰縫使水不入（如石壩一座壩身連雁翅共長三十丈壩身根闊一丈五尺收頂一丈二尺高一尺五寸迎水闊五尺跌水石闊二丈四尺四雁翅各斜長二丈五尺高九尺用粗細石計長一千三百九十餘丈）

一建石閘　建閘節水必擇堅地開基先挖固土塘有水即車乾方下地釘樁將樁頭鋸平樁縫上用龍骨木地平板鋪底用灰麻舵過方砌底石仍於迎水用立石一行攔門樁二行跌水用立石二行攔門樁八行如地平板鋪完工過半突自金門起兩面壘砌完方

河南印刷局印

鋪雁翅（金門長二丈七尺兩邊轉角至雁翅各長五丈共用石三千一百丈闊底海漫攔水跌水共用石九百丈二項共用石四千丈）

一建涵洞　建涵洞以洩積水基址亦擇堅實方可下釘樁砌石水多則建二孔少止一孔（如涵洞一座口闊一丈五尺身長二丈中立石牆一堵亦長二丈寬五尺分爲二孔每孔寬五尺兩邊四雁翅各一丈五尺共用石二百丈）

一建車船壩　先築基陛實埋大木於下以草土覆之時灌水其上令軟滑不傷船壩東西用將軍柱各四根上施天盤木各二下施石窩各二中置轉軸木各二根爲竅二貫以絞關木繫篾纜於船縛於軸執絞關木環軸而推之

一挑河　凡挑河面宜闊底宜深如鍋底樣庶中流常深且岸不坍塌如不用隄須將土運於百餘丈外以免淋入河內（凡挑開河者每方廣一丈每夫日開深一尺爲一工挑濬泥水相半者減十分之五全係水中撈取者減十之七八取土卷岸戧面築隄者亦以半折算焉）

一開河偶淺急疏之法　凡開河淺處如水溜在中須兩岸築丁頭壩以束之水溜在傍將淺處順築束水長壩以逼之水由壩中其勢自急中溜自深如淺處不多或排板插下泥內逼水衝刷或排小船用杏葉杓撈濬必不得已則用樁草製活閘節水亦一策也

一栽柳護隄　臥柳長柳須相兼栽植臥柳須用核桃大者入地二尺餘出地二三寸許

柳去隄址約二三尺密栽俾枝葉搪禦風浪長柳須距隄五六尺許既可捍水且每歲有大枝可供埽料俱宜於冬春之交津液含蓄之時栽之仍須時常澆灌長柳宜用棘刺圍護以防盜拔畜嚙

一栽茭葦草子護隄　凡隄臨水者須於隄下密栽蘆葦或茭草俱掘連根叢株先用引橛錐窩深數尺然後栽入計闊丈餘將來衍茁愈蕃即有風不能鼓浪此護臨水隄之要法也隄根至面再採草子乘春初稍鋤覆密種俟其暢茂雖雨淋不能刷上矣

一伏秋修守　四防　一曰晝防隄岸每遇水發急溜埽灣未免刷損若不急爲修補則隄漸坍塌必致潰決宜每日撈土牛小埽聽用隨刷隨補毋致崩缺少暇則督令取土堆積隄上若子隄然以備不時之需　二曰夜防守隄人夫晝勞夜倦恐貪夜無防未免失事須置立五更牌面分發南北兩岸協守官並管工委官照更挨發各鋪傳遞天字鋪發一更牌至二更時前牌未到日字鋪即差人挨查係何鋪稽遲即時拿究餘鋪倣此隄岸不斷行人庶可無誤巡守　三曰風防水發之時多有大風猛浪隄岸難免撞損須督夫綑扎龍尾小埽擺列隄面如遇風浪大作將前埽用繩樁懸繫附隄水面縱有風浪隨起

河南印刷局印

隨落足以護衛　四曰兩防守隄之人每遇驟雨淋漓若無雨具必難存立未免各投人家或鋪舍暫避隄岸倘有刷埽何人看視須每名各置斗笠簑衣遇雨穿戴隄面擺立時時巡視方無疏虞　二守　一曰官守黄河盛漲管河官一人不能周巡兩岸須添委一協守職官分岸巡督每隄三里原設鋪一座每鋪夫三十名計每夫分守隄工一十八丈宜責每夫二名共一段於隄面上共搭一窩鋪仍置燈籠一箇遇夜在彼棲止以便傳遞更牌巡視仍畫地分委省義等官日則督夫修補夜則稽查更牌管河官并協守官時常催督巡視庶防守無懈　二曰民守每鋪三里雖已派夫三十名恐各夫調用無常仍須預備宜於附近臨隄鄉村每鋪各派添鄉夫十名與鋪夫同力協守水落放回量時去留不妨農業不惟隄岸有賴而附隄之民亦得各保其田廬矣

一豎立旗竿燈籠以示防守　各鋪相離頗遠倘一鋪有警別鋪不聞有誤救護須令隄老每隄豎立旗竿一根黄旗一面上書某字鋪三字燈籠一箇晝則懸旗夜則挂燈以便瞭望仍置銅鑼一面以便轉報一鋪有警鳴鑼爲號隣鋪夫老挨次轉報各鋪夫老併力齊赴有警處所即時救護

一防盜決　盜決數端坡水難消決而洩之一也地土磽薄決而淤之二也仇家相傾決而灌之三也至於伏秋水漲處處危急隣隄官老陰伺便處盜而洩之諸隄皆易保守四也巡警稍怠或乘風雨之時或乘酣睡之際即被下手矣防禦者不可不知

一議涵洞　涵洞洩水本自無妨但須明設石閘一嚴啟閉若暗開隄址草木蒙茸便難覺察萬歷八年奸民私賄主簿將南岸遙隄暗開涵洞十七年伏水暴漲單家口遂決可爲明鑑不可不知

一歲辦物料　河防全在歲修歲修全賴物料恐州縣河官冒銀入已臨時苟且深責貽誤不小今議於十一月間司道官估計停當各長印官領銀採買法固善矣又須特委廉能職官一二員專管收支工完之日將一切收用數目開報總河查考庶幾事有責成而錢糧無冒濫矣　又冬初修守稍暇即督夫於漫坡中採取野草每束十斤每夫每日可採四十束積至百萬可省千金裨益非小

萬恭治水筌蹄曰黃河自宿遷而上河窄而流舒治法宜束之亟隄可也河南水平而岸高衝刷之患在下宜捲埽以制其下不知者河南以隄治是滅趾崇頂者也　又曰河隄

河南印刷局印

之法有二有禦水隄有縷水隄禦水者逆其性而亂流阻之者也治水者忌之縷水者因其勢而順流束之者也治水者便之夫水之為性專則急分則緩而河之為勢也急則通緩則淤若能順其勢之所趨而隄以束之河安得敗惟河欲南而禦之使北河欲合而禦之使分逆天地之氣化而反天地之血脈河始多事也已　又曰河南屬河上源地勢南高北下南岸多強北岸多弱夫水趨其所下而攻其所弱近有倡南隄之議者是逼河使北也北不能勝必攻河南之銅瓦廂則徑決張秋攻武家壩則徑決魚臺此覆轍也若南攻不過溺民出一季耳是逼之南決之禍小而北決之患深　又曰有堤無夫與無隄同有夫無鋪與無夫等　又曰黃河之驟急如風雨智者失其謀勇者失其力唯有桑土之徹而已故勢亟重也夫必以千計料必以萬計乃有備無患與防邊同而防河又腹心與防邊四肢之患異其隄防稍緩者一年備一年可也若險要之區稭草縈麻柳稍宜兩年之備以頭年下埽為次年之防以一年積料為兩年之用事豫則立臨兩無處慎之哉

又曰治河要言有二曰毋惜費毋掣肘　又曰行水之法治有餘先下流治不足先上源　又曰黃河四隄曰逆曰偏曰曲曰直今治水者多重逆直而輕偏曲不知逆者利於

守隄而不利於深河偪者利於深河而不利於守隄曲者多費而束河則便直者省費而束河則不便故太迤則水漫流而河身必墊太直則水溢洲而河身必淤四者之用有權存焉變而通之存乎其人　又曰治黃河之淺者舊制列方舟數百如牆而以五齒爬杏葉杓疏底乘流沖去不知上疏則下積此深則彼淤奈何以人力勝河力哉以人治河不如以河治河如欲深北則南其隄而北自深如欲深南則北其隄而南自深如欲深中則南北其隄兩束之逼河流沖中而中自深此借其性而役其力也其始也假隄以使河之深其終也河深而任隄之毁若欲淺河以爲洲但當反用之耳其法爲之固隄令漲可得而踰也漲沖之不去而又踰其頂漲落則隄復障急流使之別出而隄外水皆緩固隄之外悉淤爲洲矣　又曰黃水消長必有先幾如水先泡則方盛泡先水則將衰及占初候而知一年之消長覩始勢而知全河之高下舊日識水高手者惟黃河之濱有之　又曰防河請以戰喻暴猛雖有其時而衰弱亦有其候故防河者伏秋戰守數合以防其鋭至秋氣降不戰而屈之矣喫緊祇在五六七月而三月之中又止戰守數合來則厲兵躍馬去則解甲息兵是在我者執常勝之樞在彼者無不勝之勢夫黃河非持久之水與江

河南印刷局印

水異每年發不過五六次每次發不過三四日故五六月是一鼓作氣之時也七月則再鼓而盛八月後則三鼓而竭且衰矣萬一河勢盧憍銳不可當我且避其銳氣固守要害而姑以不要害之隄委而嘗之以分弱其勢而全吾要害待至水勢漸落却將所委之隄隨缺而隨補之刻期高厚勿令後水再由漸成河身致壅舊河則河之攻我有限我之守河無窮故善委則敵易疲善持則敵易竭　又曰四防中風防尤宜慎之房村決風濤鼓擊不已黃呂梁以巨舟數十障於決口風濤遂靜亦奇事然河隄千里舟不及也古有黃河風防之法如遇水漲濤擊下風隄岸則以秫稭粟藁及樹枝草蒿之類束成綑把遍浮下風隄岸而繫以繩隨風高下巨浪祇能排擊綑把隄且晏然於內排擊弗及丁夫捍於隄外督功此風防之要訣也綑把仍可為捲埽之需蓋有備而無所費云　又曰河決有二如上有所決下無所洩者曰隘決不必斷水搶築俟漲落水出直塞之耳若上決而下洩者曰通決此急宜搶築不可稍緩者也否則流沖勢洩恐成河身則正河流緩而淤矣　又曰多穿漕渠以殺水之勢此漢人之言也但可言之秦晉峽中之河耳若河南沙鬆土疏大穿則全河由渠而舊河必淤小穿則水性不趨水過則平陸耳夫水專則急分則

緩河急則通緩則淤今治河者第幸其合勢急如奔馬吾從而順其勢隄防約束之範我馳驅以入於海淤安可得停淤不得停則河深河深則永不溢亦不舍其下而趨其高河乃不決

靳輔治河書云賈魯用沉舟之法人皆稱之以爲塞決簡便之用夫河底淺深坦陷不一惟草柳性柔一經壓擠則周遭充滿故塞決必用埽今以至平之舟底沉之淺深不一之湍流則埽根透溜之患不俟終日繼而思之魯之沉舟蓋以代埽而遏水非以之塞決而合龍也蓋彼時故河業已流通但決河勢大水流多於故河十之八又當秋漲湍急埽不能下又其上遏水三隄短弱而不支恐埽行一遲水益湧決則故河復淤因急爲堵以遏之沉舟取其快所謂搶救也故前則曰魯乃精思障水入故河之方後則曰船隄之後草埽三道並舉并舉之三道乃加築前短弱之三隄也迨至船埽四隄並就河勢南流然後決口塞耳故宜善讀古人之書　又曰塞決之方必先殺其勢平其怒而後人力得施焉則莫如引河之善也引河之用有三一曰分流以緩衝也河一決則全流盡趨決口奔騰激盪秸埽無所施應於對岸上流別開一河以引之則決口緩矣一曰預浚以迎溜也

河身既淤爲平陸即異日黃河歸故必漲溢而他潰故必預開一渠以迎之務使水至歸渠遂其湍汛之勢則刷沙有力而後無旁出之患一曰挽險以保隄也河性猛烈方其順流而下也則藉其猛以刷沙當其橫突而至也則恣其烈以崩岸故當其倏忽激射之時宜酌左右之間急開一渠以挽所沖之溜頭引入中流以奪其勢而後危隄可保故曰其用有三也至於度土地高卑之數以定挑挖之淺深察土性淤鬆之殊以酌渠路之去取又在任事者之盡心焉附行水金鑑挑引河法挑引河之法因宜相土地之淤鬆若遇淤鬆土不得不於淤處挑挖水到之時不比浮沙易刷定多阻滯必須分外挑深方可　又曰河當泛濫奔潰之時決口必非一處或大或小或上或下議塞者莫不先大而後小先上而後下而不知非也蓋大口雖塞非踰旬累月不能竣迨大口工竣而小口又復汕刷而成大雖用裹頭套護之法第能使之不闊不能使之不深然未亦有中泓既深而兩端不塌陷者則是處處皆成大口矣夫大口既寬闊至於成河止矣必不至更刷而大急將諸小口盡行堵塞而後以全力施之大者至於先下而後上從事於其所易其理亦然截其尾勿攖其鋒下口盡塞而後以全力施其上或挑引河或築攔水壩或中流築越壩審勢制宜而大者上者亦不難矣　又曰河之防隄也然隄太過則易決遠

則有容而水不能溢故險要之處縷隄之外又築遙隄以備異漲隄稍瑕即潰與無隄同必選擇淤土每土一尺即夯硪三遍築畢用鐵錐杵孔沃以水水不滲漏爲度然亦有純淤土而水漏者則其土必大堅錐不易入其捍水尤有力且土必黿坼爲驗隄之高卑因地勢而低昂之用水平打量毋一槩以丈尺爲準以水面爲準築隄之法陡則易圮如隄根六丈頂止二丈俾馬可上下隄面及根必多種茸草以蓋之蓋草能柔水性能庇雨淋而坦坡又可殺風浪之怒也其取土宜於十五丈之外切忌傍隄挖取以致積水成河刷損隄根然取土有遠近難易之辨故其工値之多寡視其遠近難易而增減之又土方之數有虛實上下之分故其工値之多寡復視其虛實上下而差等之隄既成必密栽柳株蘆葦茭草使其滋衍叢布根株糾結則雖遇颷風大作終不能鼓浪興波此護隄之要策也　又曰防河之要惟有守險工而已河之易決莫如中州其地土鬆而沙多每一坍塌輒至數百丈然其地寬曠不與水爭地其築隄甚遠即至近者亦三五里此隄不守復築一隄以守之河流去隄身既遠則浮波寬緩亦不能深入勢必復引而他去而淤灘仍爲平陸故雖險而易守也江南自徐邳以下大抵皆城郭村鎭不得不盡地戒嚴亦其勢然

矣守險之方有三一曰埽二曰逼水壩三曰引河三者之用各有其宜當風抵溜其埽必柳七而草三何也柳多則重而入底然無草則又疏而漏故必骨以柳而肉以草也禦冰淩之埽必丁頭而毋橫何也冰堅鋒利橫下埽則小擦而靡大磕必折也然埽灣之處則丁頭埽又兜溜而易沖必用順埽魚鱗櫛比而下之然後可以擋溜而固隄至十分危急搜根刷底上提而下坐埽不能禦則急於上流築逼水壩回其溜而注之對岸或一二三道若止一道恐河流悍烈壩一摧而隄即不可救也若開引河則其費甚鉅又必酌地形而爲之若正河之身迤而曲如弓之背引河之身徑而直如弓之弦則河流自必舍弓背而趨弓弦險可立平若曲折遠近不甚相懸河雖開無益也諸如此者殆如禦侮然埽之用是固其城垣也壩之用捍之於郊外者也引河之用援師至近勢而延敵者也夫吾既已內修其守備而外又或捍之或延之敵雖强未有不遷怒而改圖者保險之法盡矣

又曰濬河築隄之遲速一視運土之遲速人力有限以驢代之然芻秣之費喂養之勞倒斃之患合而較之又不如車運之便車之製當用獨輪小車蓋挑土之處大抵原隰高低溝阬斷續雙輪則不行且小則往來捷而不滯也計一車所載可得土二百斤每日二夫

一車可抵三夫之運一車之工本不及五錢每夫工食一日四分不過卅十二夫之工食用之經年可得三百六十夫之用矣　又曰護隄塞決之用莫善於埽捲埽之用惟草與柳蓋柳過水即生草入水腐而成土柳隨地可種草近則取之湖塘遠則取之海濱湖塘之蘆葦不如海濱之堅實長大一束可抵二三束之用但地遠採辦稍艱酌其工程之緩急而用之可也　又曰沿河種柳其根株足以護隄身其枝條足以供捲埽其清陰足以蔭行人然惟劉天和六柳說曲盡其妙當倣其法行之統計每年歲修需柳不下一百萬束宜令各官各營凡春初暇時每丁計地種柳若干不過三年沿河成林一有不測捲埽搶防不煩斫運於他處即以本汛之柳供本汛之工力省而功易集所益非小也附明劉天和植柳六法一曰臥柳凡春初築隄每土一層即於隄之內外邊厢各橫鋪如指大柳枝一層每尺許一小枝勿太稀入土二尺外露二寸勿過長自隄根至頂不可間少　二曰低柳凡新舊隄若不係栽柳時月修築者俱候春初用小引橛於隄內外自根至頂鑿成空穴栽柳縱橫各一小尺亦如前法　三曰編柳凡近河去患不分新舊隄岸俱用柳椿如鵝子大四小尺長者用引撅先從隄根密栽一層六七寸一株入土三小尺土面留一尺許卻將小柳臥栽一層亦內留二尺外留一二寸卻用柳條將柳椿編高五寸如編籬法內用土築實平滿又臥栽小柳一層又用柳條編高五寸於內用土築實平滿如此二次卻與先栽柳椿平矣卻於上退四五寸仍用引撅密栽柳椿一層亦栽臥柳編柳各二次亦用土築實平滿如隄高一丈則依此栽十層卻平矣以上三法皆專爲固護隄岸內則根株固結外則枝葉綢繆名爲活龍尾埽雖風浪沖激可保無虞而枝梢之利亦不可勝用矣　四曰深柳前三法僅可護隄以防漲溢

河南印刷局印

之水如循岸沖堤之水亦難矣凡近河及河勢衝沖之處堤岸靠達俱宜急栽深柳靠所遊長四尺長八尺長一丈二尺數等鐵裹引撅自短而長以次釘穴使深然後靠勁直帶柳柳枝如根柳俱大者需上舌則不拘大小惟取長直但下如錐子上條枝柳長如式者皆可用縺皮栽入即用稀泥灌滿毋令動搖縱横各三五尺以上多栽十數層少亦四五附歛年之後下則根株固結入土愈深上則枝梢長茂精來河水衝嚙亦可障禦或乃之外編巨拵長格內實稍草補土不滑愈於隨水下堵以捍岸以樁釘土隨下隨沖旁費無傷者乎　五曰漫柳凡坡水淤淺之處種以築隄惟沿河兩岸密栽臥柳數十層移名隨河柳不搓　淹沒每過水漲既退則泥沙委積即可高尺餘或數寸許隨淤隨長每年數次飲年之後不假人力自成巨隄矣如沿河居民各分地界築一二尺徐樣水小隄上栽柽柳尤易積淤成高一二年間隄內即可種麥工省而效大費河用之　六曰高柳照常於隄內外栽高大柳格成行栽植不可稀少

又曰土以方一丈高一尺爲一方然有上方下方之別爲有嵜挑兼築之分爲至挑河又有起土淺深之不同爲築隄亦有運土主客之不同爲其土方工值更有人力强弱之不同焉以江南而論自邳州睢寧縣起至碭山縣止每築隄土一方給銀一錢四分自宿遷縣起至山陽縣止并揚屬各州縣每一方增銀一分此定例也主土者就近挑挖之土以所築之隄爲準者也取土宜離隄五十丈外起之挑至隄基之上用大石夯硪或以七寸爲一層夯至五寸或以一尺爲一層夯至七寸然後加上如前法務須層層夯硪徹底堅固每隄高一尺兩面坦坡必須寬六尺如高一丈之隄應築寬六丈之隄底再加隄身二丈則頂寬二丈底當寬八丈高一丈用勾股法科之每丈計築

成上方土五十方每方一錢五分應給銀七兩五錢也客土者遠遠挑運之土爲準者也如此處築隄彼處取土用船裝運高實定例以五十大籮爲一方每籮重二百餘斤每方約重萬斤連搬運上船工銀六分運至工所又工銀八分由船而運至隄上又工銀五分隄基之上再用硪夫硪夯又工銀二分統計處土一方共銀二錢一分止築成上方土七分也撈挑者此挑去河身之土而不係築隄者也所挑之土必離河四五丈外方許拋棄若就近竟卸則一經淋雨仍淌入河內矣其工價以所挑淺深爲準凡挑三四尺者每方給銀六分五六尺者加一分七八九尺一丈一二尺深者遞加一分至一錢一分止蓋六尺深以上之河無翻塘戽水之勞不過每方六七分而止其七尺者未免有水一丈外泉水愈多故銀遞加若黃河內流沙陷足其工更難每方又遞加一分七八尺即給銀九分至一丈三四尺者即給銀一錢二分也兼築者即用挑河之土以築隄也其土即卸於應築隄之上照依前式夯硪成隄每一方照挑河工銀外另加攤土夯硪銀二分此挑河兼築隄作下方工價科算以河工挑成爲準也更有離挑河而專在築隄者每上方土一方給銀一錢六七分不等此以隄工築成爲準也總觀工程之難易而酌之上方下方者以

河南印刷局印

築成隄工之實土爲上方土塘所取之鬆土爲下方也然一隄之中亦自有上方下方之別如築隄一丈則以平地起至五尺爲下方自六尺至一丈爲上方如築隄一丈二尺則以六尺以下至一尺爲下方七尺以上至一丈二尺爲上方蓋築隄愈高則愈難故必酌其難易而差等之應銷底者不至以易工而取多價收頂者不至以難工而寡受值其勞逸殊其高下之酬均也然土方價雖有定額亦舉大槪而言若築隄至一丈四五尺不得加倍有至三錢餘一方者更難執一而論相地形之高卑遠近而增減之可也於水中築隄取土甚遠或至數十里外工費不貲者當用水中取土之法其法先定根基隨用船裝遠土於水中築成圈埂其埂出水二尺中間三十丈長五十丈圈埂既成用草料防護隨將埂內之水車乾然後於離隄基十五丈外啟土挑至隄基之上密加夯硪築成大隄其隄如應頂寬二丈底寬十丈高一丈六尺每隄一丈用土九十六方連船裝築埂之土并車水防埂一切夫工器具物料以及陰雨食米等項每方約用銀二錢六分較之尋常就近取土之費約省過半　又曰河決之始如用埽裹頭以防汕刷築逼水壩開引河簽樁

必須深釘入底以防懸空誤事河防一覽備載矣至沈繫埽繩全在揪頭繩索其力尤重椿必多而始壯埽必重而後沈宜柳七而草三塡土之後倘埽工之外忽起翻花大浪急須於隄內下埽塡土晝夜壓蔽其浪花起於數丈之內猶易若百丈之外則危矣其隄工若但坍毀而平下猶可塡土加埽一若懸空則危矣若內外傾欹亦不可救此河防所未載不可不知也

甯侍御承勳傳 王熙 節錄

侍御諱承勳字昭德號康侯考選山東道監察御史巡按河南具疏請修復省城寨黃河決口略言汴城地形低於黃河獨恃府隄以爲天塹自逆闖決隄以灌城河水建瓴而下臣由大河泛舟直抵城下城垣半在沙淤水浸之中進至安遠門則甕城敵臺滅沒無影循此而入則高者爲沙爲陸路卑者爲水爲川流入城一望沙淤漫衍似高阜可行土人指謂當日最低今則街市廬舍盡埋其下水流浩瀚似低窪就下土人指謂當日最高今以他處淤高則此地反卑再行三五里始見屋脊露出沙上盡爲漁人網魚之鄉南門迤北爲周王府內盡成水鄉宮殿僅見樹梢樹木惟存枝杪此汴城大略也又言汴口不塞

河南印刷局印

則水分勢殺漕艘難行是大梁之城不論修與不修而堵塞南下之口則斷不容緩者也

疏入報可自此河口始塞汴城獲安官舍民居次第興復矣

河防述言源流篇　張靄生

靳大司馬問曰同一水也何黃流湍急獨挾沙而行易淤易決與他水異果其源有殊與

陳子曰河非有異於他水也中國諸水惟河源爲獨遠源遠則流長流長則入河之水遂多入河之水既多則其勢安得不洶湧而湍急況西北土性鬆浮湍急之水即隨波而行於是河水遂黃也秦人之歌曰涇水一石其泥數斗他如燕地盧溝之水酷似黃河故俗稱渾河晉之沁汾諸水亦濁可知西北之水不惟黃河挾沙也再攷河自西域而來其流雖濁不若汴渠以東之甚昔賈讓之中策欲引河灌田殊不知今日汴梁以東之河若引以灌田則禾苗必盡被沙壓耳潘印川公之治河去今爲近其所著河防一覽多中肯綮雖其所言險要近多變遷事宜亦有遺漏然元賈魯之後深明河務者潘公爲最今稽其疏有曰黃水所經河南之土最鬆昔禹導河入海經河南者止鄭縣孟津鞏縣三處耳當時之水未必如今之濁今自河南郡之閿鄉至歸德郡之虞城凡五郡河全經其地故平

時之水沙居其六一入伏秋沙居其八此豈無確據而言之歟可知河之濁也至河南而始甚也明矣潢皆溯河之上流惟寧夏靈武諸處至今猶引黃流以資灌溉寧夏有漢唐二渠俱設閘以節蓄洩水旱有備民皆賴之然定制每歲清明起工按座挑濬至夏畢事方理農功有司董之永以為則由此觀之上流之水尚不甚濁然猶每歲必為疏濬不然溝渠亦淤無所為利矣元臨川朱思本所述河源自星宿海發源行十數日水猶清淺可涉而渡又行數日水漸渾濁則河源本清與他水無異不益可信哉河之濁且非其本然也而謂河性喜決也不更誣乎尤可嗤者昔人籌河有建議欲於塞外鑿渠導之北流入於北海勿使經中土謂既可阻隔華夷又使中土永無河患論者莫不奇其策祇惜途遙工鉅難成耳未有知其大謬者夫河之自西域而來若無他水入之止此一水曲折行數千里其勢必衰竭能為中國患其所以為患於中國者大半皆中國之水助之也設導西域本來之水行於塞北而域內之水自湟洮而東若秦之灃渭涇汭諸水晉之汾沁梁之伊洛瀍澗齊之濟汶洙泗其間山泉溪谷千支萬派之流未易更僕數凡此西北之水安得不會為一大川以入於海哉知河防所懼者伏秋也伏秋之漲尤非盡自塞外來也類

皆秦隴冀豫深山幽谷層冰積雪一經暑雨融消驟集無不奔注於河所以每當伏秋之候有一日而水暴漲數丈者一時不能洩瀉遂有潰決之事從來致患大都出此雖使河源引而行之塞北烏能永免中國山水暴漲之害哉大司馬喟然歎曰曠論河源流者率多傳訛子言可破一切影響之說矣

河防志略 張鵬翮

一挑挖引河之法審勢貴於迎溜而施功宜於深闊且俟水大漲乘機開放則有一瀉千里之勢不可太窄窄則受水無多難挽溜以入新河不可太淺淺則水不全趨勢緩仍墊不可過短短則水流不舒爲正河所抑洄洑漩淤須寬六十丈或四十丈須長二千丈或千餘丈方趨溜有勢而成河不可太直直則平緩而無汲灤湍激之勢久亦漸淤也必隨黃河大勢開挑俾其河頭迎溜河尾洩水中間灣處急溜衝刷漸次河岸倒卸再於河頭築挑水埽壩河尾築順水埽壩對河築挑水埽壩庶引河可成也

一築隄工之法凡臨河道必築隄束水歸槽以防旁溢無論新築加幫總以老土爲佳但黃河兩岸率多沙土恐難盡覓老土須於隄完後務尋老土蓋頂蓋邊栽種草根以禦

雨淋衙汕

一捲埽下埽之法凡應用埽個須捲長十丈八丈者方穩高一丈者埽臺要寬七丈方捲得緊如遇隄頂窄狹者架木平隄名曰軟埽臺然後捲下先將柳枝綑成埽心拴束充心繩揪頭繩取蘆柴之黃亮者摔打小纓總繫於埽心之上每丈下鋪滾肚麻繩一條或不必用麻者即用蘆纜又將大蘆纜二條行繩一條密鋪於小纓之上鋪草爲筋以柳爲骨如柳不足用柴代之均勻鋪平需夫五六十名如長十丈者共需夫五六百名八丈者四五百名用勇健熟諳埽總二名一執旗招呼一鳴鑼以鼓衆力牽拉綑捲後用伞桿戧堆埽臨岸時將小纓均束於埽岸上每丈釘下留橛二根將滾肚繩挽於留橛之上每揪頭繩一根亦釘留橛一根看水勢之緩急定揪頭繩之多寡漸次將埽推入水中將橛頭滾肚用活扣結於留橛之上然後緩緩壓土俟埽將次沈下乃下排樁每丈用一尺八寸木一根若水勢湍激頂衝埽灣並合龍之埽須用大木不在一尺八寸之例每丈用料物細數照現行工部則例配用

一黃河內下埽之法凡黃河內埽工有修防有救險有搶險有新生險修防工程於霜降

後水勢退消驗查舊埽傾欹者蟄陷者卑矮者朽爛者須將舊埽淸消平安相機補下層層簽釘大樁照依大汛水漲之痕仍高出數尺一律下成順埽薄敷以土俟其蟄定方可下丁頭埽若埽未蟄實即下丁頭埽前順埽一有蟄陷將別埽俱動矣其救險工程將有危陷埽尙未去急須臨河添壓大埽長裕鑲隄急淸舊埽恐爲隨崖塡之以軟草將兩旁安穩之埽亦須補下大樁幷力救護勿使走動則工程平穩矣其搶險乃因舊埽朽爛或因頂衝急溜埽下衝激空虛舊埽全去水隨崖岸舊隄坍卸岌岌堪虞當此皇皇之際惟有審其事之先後埽之緩急若誤下一埽誤釘一樁反致逆溜湍激衝刷舊隄欲去不能每致僨事須責令久慣埽手或熟諳人員殫心料理責任旣專令其度量穩安然後急爲接下埽箇晝夜搶下庶舊隄無虞兩旁之埽平穩矣其新生險工每於舊險工之上下黃河大溜一時衝至埽傍舊隄坦坡坍卸急須下埽直至開溜之處而止大率黃河埽料以柳柴爲重次則枯草樁必長大繩須堅實至於壓土非比淸水埽箇黃水一入埽中即泥沙停滯若壓土太厚反恐欹卸俗云下埽無法全憑土壓者乃別言淸水之埽也

一黃河塞決之法凡黃河初決且不必急計裹頭亦不必急計堵塞初開之時水勢洶湧

未可與爭惟看其出口急溜若有奪河情形須建挑水壩以遏其勢上流挑撈引河以挽其流速運積料物料物既積矣猶在得時時可堵矣褁頭舊隄務必多下邊埽堅固停妥然後逐漸進埽埽不可緩緩恐決口漸深又不可急急恐下埽有失埽必欲其大而長長大則穩卷埽首重於繩纜其揪頭滾心滾肚必須長壯務使繩勝埽莫使埽勝繩埽既下矣薄用土壓埽將沈於水方釘簽樁再加套埽其樁亦必須長大計埽將到底方可再進沈水將次合龍之際須多備在工料物恐防合龍後每因蟄陷復決也宜於合龍之時晝夜兼工堵塞遇有毛道過水或係樁頂不平或係埽手作弊故留罅隙必須急爲壓土使其平實於罅隙用稻草或紅草塞之務使斷流若涓涓不息漸至蟄陷不急搶救則潰矣欲杜樁埽手之弊惟有恤其勤勞厚以賞賚不必按日計値惟以成功爲主則工易舉而成亦速至決口初開時不係頂衝之處出口勢緩去口平散亦不必急計堵塞久之率多挂口淤墊也

一建築挑水壩之法迎溜之處宜建築挑水壩又名順水又名雞觜又名馬頭其功最大凡遇有險工之處照式築之裨益非小酌試建築之法壩欲其寬不可甚長須做雁翅邊

埽以順上流勿使埽頭迎溜有掀揭之虞若離縷隄遠者須接築格隄捍禦以防異漲時黃水溢壩後衝刷之虞

合龍閉氣說　嵇曾筠

堵閉決口至合龍時正河未通旁流又塞全河水勢進退兩難此時苟措置失宜必致尋路奪門乘虛潰陷盡棄前工故堵合決口築至祇寬十餘丈之時務將從前已下各埽凡掀頭滾肚以及樁橛等項一一檢點更驗明積料積土若干然後每邊各再進一二埽鑲墊極穩方可捲下合龍埽箇其埽或用單用雙均可既下埽閉合之後一鼓作氣竭力鑲填層層加壓著地隨即簽樁至埽尾溜斷爲率至從前做過各埽須自靠隄起至龍門口止通身壓土三四尺加鑲又不可一律鋪填如埽面寬十丈者止於埽頭埽尾各鑲寬一二丈其埽而中間多用土壓埽上壓土愈重埽箇愈穩將來蟄陷亦少若夫堵合決口之後河流亦必去埽工數丈之外似乎足資鞏固但近埽之處不有河形即低窪地水勢一長仍必分流不早防備則外口嫩沙見水便消壩下埽工儻或朽腐一有更變便無從下手亟須於龍門外口約略長短再下順埽數十丈或二路二層或一層以護之如龍門裏

口跌塘倘淺則於裏口建貼心壩以爲內戧更著緊晝夜搶築裏越大隄一道方爲萬全無失蓋水有氣勢勢之所趨氣必隨之今裏戧外護而又圈以越隄俾其氣無所透而其勢亦隨以退阻淤沙挂灘可跂而待司壩工者其可不急爲之善後邪

石工說 嵇曾筠

石工之要先審水勢如黃河水性靡常沙土虛鬆除山陵岡麓土性堅凝最爲建築石工以資捍禦其餘概難壘砌又如淸水頂沖之處建閘若遇山水大發全力衝動必至潰裂難支惟熟察夫來源之淸濁爲頂沖爲拖溜擇地建造方能堅久是水勢之貴於斟酌者一也一在先擇根基如根基不能堅實雖密釘長樁層壘巨石平墊下坐必致塌陷務須選擇土性堅凝之處然後施工則久而不敝即至歷年既遠間有損傷基址永固易於修理是根之貴於堅實者一也至於壘砌之法首重底樁毋論馬牙梅花務必株株實在方能著力一有虛鬆則力難勝重上實下虛通身受病即全體俱堅間有一二樁根不能到底偶遇石縫接筍之處立致欹斜偏側是以按照濟規估計有二襯三襯之分而測量地勢簽釘務以著實到地爲要是底樁之貴於實在者一也一重石不拘丁砌順砌務須六

而琢平方能穩固倘一面不平即一處不穩每有任聽匠作草率了事鑿鑿不平用碎石襯墊迨至壘砌既高其力愈重所墊碎石難支工完未幾旋有勢裂是石塊之貴於平整者一也一重對縫石縫不密則罅隙可虞易於滲漏即使灌以濃漿而灰縫粗疏不能銷成一片串水之患勢不能免凡斷宿接縫之處務必琢磨細緻參差脈縫勾捉合式方資鞏固是接縫之貴於密緻者一也一重灰汁灰有眞贋之辨汁有濃薄之分少不留心察看則動多虛假飭至計及錙銖希圖節省即有匠工牙儈乘機舞弊灰則攙和沙泥汁則半多淸水豈易融洽膠粘充盈飽滿徒飾外觀其弊不可勝言是灰汁之貴乎察核者一也一重丁石不拘大小石工如得層層丁砌自當格外堅固否則層丁層順間砌皆能垂久如非吃緊大工則估計順砌居多每層順砌一丈例用丁頭石三塊每塊長三尺六寸應與襯裏甎石裹外牽扯方資牢固如甫壘砌在中無可考究所用丁頭石長不如式則牆裏二石兩不相蒙倒卸之處半多由此是丁石之貴於照估者一也一重襯甎牆石之後接砌裏石裏石之後復襯河甎蓋土石性殊難於聯屬以甎貼土誠有妙理如或聰明自用更改成規動謂甎性不堅不如省去不知土石性難融洽分而不屬大有疏虞是襯

甋之貴乎如式者一也一重尾土石工背後用土塡築土石相接最難聯屬夯杵不密每致成患務須砌石一層即塡土一層用雜木夯杵百鍊千錘方能堅凝貼合如壘砌既高方始塡土以及任意堆積先後失宜雨淋水灌非虛鬆塌卸即脹裂傾欹均爲石工大患是尾土之貴乎堅密者一也一重月壩凡修砌石工必先築月壩攔水法用兩面排樁襯以笆席中塡土心擋溜閉氣不使少有滲漏以便施工此不易之則也然於洪波巨浪中一壩孤懸勢難屹立如徒固執舊章不知變通萬一工程將半壩有疏虞前功盡棄所損實多又在因地制宜如水淺則用月壩水深則留存舊工一二層以爲外障退進一二丈挖槽釘樁壘砌是月壩之貴於相機者一也他如淸槽戽水扣錠安鍋集料庀材鳩工利器事無巨細貴周備而不遺時有後先毋臨期而滋誤若夫金門雁翅之須詳礮心裹頭之有別迎水跌水在長短之合宜減壩滾壩實同功而異用閘洞無分乎大小隄堰總貴乎高堅形制雖殊施工則一要須熟習於平時方不周章於臨事也謹於高堰工成爲志大略如此

塼工記 蔣湘南

道光十五年原陽三堡支河告險砰磅訇磕寬至一百二十丈倉猝間竹楗石菑皆不具文武官皇遽無措總督河道栗公馳至令迎溜拋塼塼壘壘高出水上大溜立即外移在工者咸驚以爲神公復下令購塼於民築壩三十餘而漲勢愈猛口門收至五六丈拔大柳橫塞之塼如雨下不逾時而塡閼斯役也省帑項無算沿隄居民歡呼相慶微用塼之力不及此公既以塼奏效乃審河勢酌物力以爲土工石工埽工之外宜增置塼工以備緩急而又慮塼之未必隨地宜也以奏請試行俟屢效而後程其法於是試之於黃沁廳之攔黃埝其挑溜之捷一如原陽也試之於上南廳之楊橋壩其挑溜之捷一如原陽也試之於衛糧祥河二廳如之試之於曹河五廳又如之凡不可廂埽不能廂埽之處投之以塼無不應時反壞若河伯之畏鈲斃者公於是喟然曰應變無定法惟在持之以有定之心耳當原陽之告險也水勢湍悍北注抵禦稍遲全河已掣其險將不可問而掃之爲物也能挑溜亦能引溜則全河俱掣其險將更不可問即使幸保無虞而沿隄廂埽物力

爲難且兵役尤難幷力此所以變通其法不得已而易之以塼也夫塼凝於土澀於石而功倍於埽何也河濱之土皆淤沙濡水輒渙故用土不加用塼塼雖不堅於石然石滑多罅不留淤且性沈易陷塼則受淤而彌縫其隙淤愈積挑溜愈捷故護埽以石水仍在埽根築壩以塼水退至壩外者此也且夫人知埽之能衛隄而不知埽之能引溜溜本平也埽引之而側注溜本淺也埽引之而刷深溜本在中泓也埽引之而迫近隄岸補舊廂新非直用塼工以挑溜也今則應手奏效確有把握矣巡視南北兩岸塼工屹立者皆埽即敏之河防奏議如曰土石性離於聯屬以塼貼土誠有妙理是蓋以塼襯石而融洽於土務費無已前人明知之而不能去者豈非以埽之外別無良法乎塼之宜用始見於嵇文無上提下坐之病於以固工節帑使隄防免沖決之虞田廬少淹沒之患催科無加價之累其殆河工之一轉機哉先是公任河南布政使時道光十二年八月祥符縣下汛十三堡墊隄五十餘丈河督吳公駐馬營未即至公奉巡撫檄往視於十二堡灘隄搶築柳壩更用大柳倒塞之不數日水患悉除河督疏奏有不動聲色化險爲平之語公之受知而特擢爲河督者以此十六年四月湘南過濟寧謁公節署備聞塼工始末因詳書之以著

公之細心經物且以爲治河應變者之法

黑岡觀塼工記 蕭湘南

隄所以束河也水近於隄與水遠於隄二者孰爲便曰遠於隄便埽所以衛隄也歲歲修補與一勞而無煩修補二者孰爲省曰無煩修補省此不待智者而決也乃自塼工興而浮言起湘南始闢之亦不能無疑及觀工於黑岡而疑始豁然矣黑岡據大梁上游二十里大梁之保障也前之治河者皆以此爲要工而埽之旋廂旋蟄者亦此地爲甚公用綫隄法築大小塼壩數十隄前之水盡涸對岸之灘不切而自陷大梁官民恃以安堵而一時之不願用塼者則謂塼可以挑淺溜不可以抵大溜可以濟緩用不可以濟急用可於將生未生之險預防先事不可於已生已成之險立轉危機乃公獨毅然不惑相其勢而用之或與土並用或與石並用其土石之不及者則直以塼築壩任其蟄卸愈寬壩基愈固而水之避之也愈遠故蟄卸至十餘次而始穩定者於是有塼之工隄前無水公嘗慨東河之費日增也自道光元年至十五年較嘉慶中已增至一倍其故皆由於埽之引溜溜爲埽引新險叢生救險則益加埽浮費日以多經帑日以絀矣欲省費必自減埽始減

埽必自埽工始公惟以不欺爲心耳昔黎襄勤公用碎石於南河當時且有交章而攻者浮言之來又何足恤道光十七年三月十八日湘南謁公於黑岡行署因以得於目證者更書之並附埽工章程於後俾世之留心河務者有所考焉經世文續編注云埽工章程傳鈔失錄

中牟堵口管見　鄒鳴鶴

謹按中牟大工土性純沙金門深至十一丈雖自走占以來口門拆展逐漸停淤現止深四丈餘尺而新沙底見溜即淘水深不能預定兼之引河頭層灘重疊吸溜無力兩壩恐致蟄重則辦工難矣大工費帑已至七百餘萬此後重興工作接壩挑河約非五百萬金不敷工用現在內外庫項支絀無從籌發則籌款難矣此二難者勢所必然人所易見亦人所共知也然辦天下事不外理勢兩端必先折衷乎理而後權衡於勢理之可辦可不辦者勢有所難則或可中止理之當辦必辦萬不可不辦者祇應設法以濟勢之窮而不能因勢而悖理查黃河自中牟漫口以來歷河南之開封歸德陳州安徽之穎州鳳陽江南之淮安揚州諸郡境而至洪澤湖被水之三十餘州縣皆國家腹心要地迥非海疆偏僻可比水過之區至今村墟冢落城市浮沉若不及早挽回故道直是洪水氾濫復見今

日有是理乎此不可不辦者一也三省被災之民不下數百萬經年昏墊隨地流離其鳩面鵠形編茅掘穴而居者沿隄沿河千餘里皆是大抵暫忍飢寒惠望合龍復業一聞緩堵之說生全無望人各自危必致弱肉強食聚衆滋事其害殆無底止此不可不辦者二也淮陽一帶爲漕河咽喉之地今以洪澤湖受全黃下注一遇漲漫隄防告警漕道必致中梗將來不堪設想此不可不辦者三也河南省城中樞要地經祥工浸漫之後竭全省官民心力始得修復今黃河逼近護隄汛漲仍慮浸及全城數十萬生靈安危難卜年來官紳環守比戶擔驚豈能常年以爲故事此不可不辦者四也此四者理之確不可易人所易知亦人所共見者也或者曰理固如是其如籌款無出何不知不辦之費更爲甚於辦之費者即以河南而論自春間大工停緩後奉准加賑三月計費約八十餘萬加以各州縣蠲緩約四五十萬合計銀一百二三十萬兩其安徽江南兩省災賑蠲緩之數各以百萬爲率統計三省總須三百餘萬而於大工無纖毫益黃水之泛濫自若也不堵則明年之災賑蠲緩依然也不堵則年復一年災賑蠲緩有加無已也是欲省辦工有定之費而轉貽不辦無窮之累也且即爲不堵計斷不能一任濁流横溢中土久後必當別築長

隄以東之千里平沙盡空興辦計築隄之費必有十倍於堵口之費者此又在年年賑綏之外者然則堵費較省究將何出乎獻見豫省及各直省續辦捐輸專爲工需籌款此事責之一省則有限普之十七省則不絀以十七省并力合營必有成效可覩惟捐輸期寬辦工期迫今議八月以前各省捐項全數解工此外先行借撥若干萬兩捐有成數陸續歸還此中權衡緩急原非外吏所能深悉然十七省常年捐輸總可得銀數百萬兩工需不致無著則理之可決者或又曰即使費用有出其如工程棘手何不知治河猶治病也治病而不知病根則醫藥無靈病根既知則藥得力而醫自靈今日口門之病根在純沙在河頭灘阻人人切知病根之所在而力救之祇須白露後細勘情形或將大壩斟酌向背避深就淺或將引河挪展口門刷灘迎溜或接長挑壩以使之東注或添建二壩以使之掣託循前轍而精益求精集衆長而斷以獨斷必謂人力殫盡天心仍不悔禍應無是理要之前此垂成忽敗固由形勢之喫重金口之過深然不過風狂漲驟未必失事也執偶爾之失而謂後此之必不成有是理乎乃又有爲之說者曰此壩即能堵合下游淤墊已甚下壅則上潰不旋踵恐又失事則直因噎廢食之甚者矣無論儀睢以下受

淤本少下游自暢無論開挑引河導水冲刷下游更暢即令河身擡高合龍後又釀危機豈不知善後工以兩隄加高爲首務河高則隄因之增高乎豈不知分廳分汛而守者專司防險彼時豈無抵禦之方乎靳文襄公論河曰抵有補偏救弊之方從無一勞永逸之策正是此旨若執因噎廢食之見謂合龍後倍難不如不合之較穩是直置洪水泛濫於不問也是直置三省百萬之民蕩析流離於不顧也是直欲廢漕道而棄汴省也理之所斷斷不可者也

籌河篇上　魏源

但言防河不言治河故河成今日之患但籌河用不籌國用故財成今日之匱以今日之財額應今日之河患雖管桑不能爲計由今日之河無變今日之道雖神禹不能爲功故今日籌河而但問決口塞不塞與塞口之開不開此其人均不足與言治河者也無論塞於南難保不潰於北塞於下難保不潰於上塞於今歲難保不潰於來歲即使一塞之後十歲數十歲不潰決而歲費五六百萬竭天下之財賦以事河古今有此漏卮填壑之政乎吾今將言改河請先言今日病河病財之由而後效其說人知國朝以來無一歲不治

河抑知乾隆四十七年以後之河費既數倍於國初而嘉慶十一年之河費又大倍於乾隆至今日而底高淤厚日險一日其費又浮於嘉慶遠在宗祿名糧民欠之上其事有出於上者有由於下者何謂由上靳文襄承明季潰敗決裂之河八載修復用帑不過數百萬康熙中堵合中牟楊橋大工不過三十六萬其時全河歲修不過數十萬金蓋由河槽深通而又力役之征沿河協貼物料方價皆賤工員實用實銷故工大而費省乾隆元年雖豁各省海塘河隄派民之工十餘萬而例價不敷者尚攤徵歸款至四十七年蘭陽青龍岡大工三載堵閉除動帑千餘萬外尚有夫料加價銀千有一百萬應分年攤徵其時帑藏充溢破格豁免而自後遂沿爲例攤徵僅屬空名每逢決口則沿河兩民且預囤柴葦倍昂錢值乘官急以取利是爲河費一大竇然乾隆末大工雖不派夫而歲修搶修另案兩河尚不過二百萬及嘉慶十一年大庾戴公督南河奏請工料照時價開銷其所藉口不過一二端而攤及全局於是歲修搶修頓倍歲修增而另案從之名爲從實開銷而司農之度支益匱是爲河費二大竇計自嘉慶十一年至今凡三十八載姑以歲增三百萬計之已浮舊額萬萬況意外大工之費自乾隆四十五年至今更不可數計耶此之謂

費浮自上其浮自下者自靳文襄以後河臣不治海口而惟務洩漲漲愈洩溜愈緩海口漸淤河底亦漸高則又惟事增隄自下而上自一二歲以至十歲數十歲河高而隄與俱高起海口至滎澤武陟兩隄亙二千餘里各增至五六丈束水於堵隆隄於天試以每歲加隄丈尺案册計之必有二三十丈其實今隄不及十分之二不日汛水淤墊則日風日削剝以蓋其偷減（其實汛水僅能淤隄中之河身不能淤隄外之官地試以隄外平地高低丈尺證之則判然矣）即此加隄之費已不下三萬萬河身既淤大溜偶灣即成新險於是又增另案之費河隄既高淸水不出高堰石隄亦逐年加高於是又增湖堰之費亦不下三五萬萬是以每汛必漲每漲必險無歲不稱異漲每歲兩河另案歲修南河計四五百萬東河二三百萬潰決堵合之費人能知之能患之其不潰決而靡糜之費則習以爲常且不知之且不能患之也隄日增工日險一河督不能兼顧於是分設東南兩河置兩河督增設各道各廳康熙初東河止四廳南河止六廳者今則東河十五廳南河二十二廳凡南岸北岸皆析一爲兩廳設而營從之文武數百員河兵萬數千皆數倍其舊其不肖者甚至以有險工有另案爲已幸若黎襄勤之石工栗恭勤之磚工即已有糜費罪小節省罪大之謗此之謂費增自下是以國家

河南印刷局印

全盛財賦四千萬之出入無異乾隆中葉之前巡幸土木普免之費且倍省於乾隆之舊而昔則浩浩出之而不窮今則斤斤撙之而不足是洋烟者民財之大漏卮而河工者國帑之大漏卮也然則今日舍防河而治河可乎慫糜費而言節用可乎曰無及矣南河十載前淤墊尚不過安東上下百餘里今則自徐州歸德以上無不淤前此淤高於嘉慶以前之河丈有三四尺故禦黃壩不啟今則淤高二丈以外前此議者倘擬改安東上下繞灣避淤或撥接築海口長隄對壩偪溜以期掣通上游之效今則中滿倒灌愈堅愈厚愈長兩隄中間高於隄外四五丈即使盡力海口亦不能掣通千里長河於朞月之間下游固守則潰於上上游固守則潰於下故曰由今之河無變今之道雖神禹復生不能治斷非改道不爲功人力預改之者上也否則待天意自改之雖非下士所敢議而亦烏忍不議

籌河篇中 魏源

河決南岸與決北岸孰勝則必僉曰南決禍輕北決禍重北決而在上游其禍尤重決北岸上游者若乾隆青龍岡之決歷時三載用帑二千萬又改儀封考城而後塞嘉慶封邱

荊隆工之決歷時六載後因暴風而後塞武陟之決用帑千數百萬亦幸堵口塞淤而後塞南岸則雖在上游亦不過數百萬可塞是地勢北岸下而南岸高河流北趨順而南趨逆故挽復故道北難而南易上游北決則較下游其挽回尤不易問曰然則河之北決非就下之性乎每上游豫省北決必貫張秋運河趨大清河入海非天然河槽乎挽回南道既逆而難何不因其就下之性使順而且易奈何反難其易而易其難禍其福而福其禍則必曰恐妨運道嗚乎今之南運河果能不灌塘而改堵通運乎既可灌塘於南運河獨不可灌塘於北運河乎明知順逆難易利害相百乃必不肯舍逆而就順舍難而就易豈地勢水性使然乎審地勢水性如之何曰莫如南條行南北條行北而已近日黃河屢決皆在南岸誠爲無益即北決而僅在下游徐沛歸德之間亦無益惟北決於開封以上則大益何則河濟北瀆也而泰山之伏脈介其中故自封邱以東地勢中隆高起而運河分水龍王廟過汶成湖分流南北以濟運是河本在中幹之北自有天然歸海之壑強使冒幹脊而南其利北不利南者勢也北條有二道一爲冀河故瀆史記所謂禹載之高地者今不可用上游即漳水下游至天津靜海縣入海當禹河故道其地亦高故不可用一爲山東武定府之大清河即濟水小清

河即漯水皆繞泰山東北起東阿經濟南至武定府利津縣入海即禹斷河爲二渠一行冀州一行漯川者也自周定王時黃河失冀故道即奪濟入海東行漯川故後漢明帝永平中王景治河塞汴歸濟築隄修渠自滎陽至千乘海口千餘里（千乘即今武定府利津縣）行之千年閱魏晉南北朝迄唐五代猶無河患是禹後一大治蓋不用禹冀州津衛之故道而用禹兗州漯川之故道以地勢則上游在懷慶界有廣武山障其南大伾山障其北既出即奔直向東北下游有泰山支麓界之起兗州東阿以東至青州入海其道皆亘古不變不壞其善一以水性則借至清沈駛之濟滌至濁淤之河藥對證而力相敵非淮泗恒流不足刷黃者比其善二北宋河益北徙幾復故道宋人恐河入契丹境則南朝失險故與六塔二股河欲挽之使東又不知講求漯川故道其弊在於以河界敵志不在治河也及南宋紹熙金明昌之際河遂自陽武而東至壽張注梁山濼分二派北派由北清河入海南派由南清河入海南清河即泗水入淮之道（今會通河起汶上縣至淮安府清河縣是也）北清河即濟漯川（今大清河自[illegible]河滾水壩歷東阿平陰濟陽齊東武定青城濱州蒲臺至利津海口）其時金人以鄰爲壑故縱河南下與北清河並行其弊又在於以河病敵亦無志治河也及元世祖至正中開會通河遂斷北流專以一淮

受全河而河患始亟元末至正中又北決賈魯初獻二策一議修築北隄以制橫潰其用功省一議浚塞並舉挽河南行復故道其功費甚大脫脫竟用後議挽之使南其時余闕即言河在宋衞之郊地勢南高於北河之南徙難而北徙易議者慮河之北則礙會通之漕不知河即北而會通之漕不廢何則漕以汶不以黃也賈魯不能堅持初議其識尚出余闕之下明以來如潘印川靳文襄但用力於淸口而不知從淸口於兗豫其所見又出賈魯之下諸臣修復之河皆不數年十餘年隨決隨塞從無王景河千年無患之事豈諸臣之才皆不如景何以所因之地勢水性皆不如景其弊在於以河通漕故不暇以河治河也今日視康熙之時又不可以道里計海口舊深七八丈者今不二三丈河隄內外灘地相平者今淤高三四五丈而隄外平地亦屢漫屢淤如徐州開封城外地今皆與雉堞等則河底較國初必淤至數丈以外洪澤湖水在康熙時止有中泓一河寬十餘丈深一丈外即能暢出刷黃今則汪洋數百里蓄深至二丈餘尚不出口何怪湖歲淹河歲決然自來決北岸者其挽復之難皆事倍功半是河勢利北不利南明如星日河之北決必衝張秋貫運河歸大淸河入海是大淸河足容納全河又明如星日使當時河臣明古今審

地勢移開渠塞決之費爲因勢利導之謀眞千載一時之機會乃河再三欲東入濟人必再三强使南入淮强之而河不受制則曰治河無善策治河兼治運尤無善策嗚乎運河之貫黃河南北一也黃河之貫運河亦南北一也汶水自南旺湖北行百三十餘里至張秋入大淸河建瓴而下是南岸通漕甚易所宜慮惟北岸但自壽張至臨淸二百餘里盡塞減水壩倒塘濟運而築石閘於壽張黃運之交是北岸通運亦視南河黎黃壩倍易何虞乎運道且今日之河亦不患其不改而北也使南河倘有一綫之可治十餘歲之不決倘可遷延日月今則無歲不潰無藥可治人力縱不改河亦必自改之然改之不可於南岸亦不可於下游徐沛之北岸何也上游河身高於平地仍可決而南也惟一旦決上游北岸奪溜入濟如蘭陽封邱之已事則大善若更上游而決於武陟則尤善之善河已挽之不南費又籌之無出自非因敗爲功計將安出因敗爲功如之何曰乘冬水歸壑之月築隄束河導之東北計張秋以西上自陽武中有沙河趙王河經長垣東明二縣上承延津下歸運河即漢舊河故道但創造隄以節制之即天然河漕張秋以東下至利津則就大淸河兩岸展寬或開創造隄即如王景用錢百億倘不及蘭陽武陟之半河既由地中

行無高仰自無衝決即使盛漲偶溢而隄內隄外相平一堵即閉不過如永定河塞決之費一二十萬而止新河北不鶩太行之脈南不鶩泰山之脈介兩脈之間所刷皆塵沙浮土日益深通且南岸有舊河淤身千餘里高五六丈寬數百丈以北岸爲南岸新河斷不能再侵軼而南雖自考城以下舊河迤邐稍南距新河漸遠雖無借北隄爲南隄而河如南決則斷不能冒穢而過北岸自衛輝以上西海大伾山自衛輝以東有平衍無窪下加用磚工護隄以禦大溜河含深就高侵軼而北禹河由冀州入海史言載之高地是冀北不淫下之證即使數百年後河流偶北如北宋之復禹迹亦無廣挽之使南矣姑毋侈王景河千年之遠效而數百載間大工費必省矣其平時歲修則姑復國初之舊以一河道駐張秋督南岸北岸上游下游數廳官及河標武職數十員而止可裁冗員大半矣每廳轄境不能過百里緣堤汛時棟長冀及也著水由地中行則無險工可據故無用多官歲修及倒塘濟運至多以數十萬計如國初舊額歲可省五百萬十數年可漸復乾隆庫藏之舊大利一河北自衛輝南境凡沙河所經如原武陽武延津封邱考城直走山東皆歷年河決正溜所衝之地非沙壓即斥鹵皆土曠人稀無輻輳闤闠而南自開封下至淮海舊河涸出淤地千餘里以遷河北失業之民舍磽瘠得膏腴不煩給價買地大利二洪澤湖暢出入海高堰可不

蓄水涸出淮西上游民田數萬頃大利三五壩不啟下河不災淮揚化爲樂國大利四河不常患帑不虚糜而後國家得以全力飭邊防興水利盡除一切苟簡權宜之政大利五其新河歲修數十萬金但取諸舊河舊湖涸出淤地升科之項而有餘國家更不費一錢以治河大利六此六利者天造地設自然之利非非常之事也亦不必需非常之人也但須廷議決計於上數曉事吏承宣於下曉諭河北州縣當水衝數十里内之民以閼陽武陟之已事令其徙危就安徙害就利舍磽瘠就膏腴天下無不知利害之人斷無甘心危地以待淪胥之事豈非因勢利導至易之策然而事必不成者何也河員懼其裁缺裁費必譁然阻畏事規避之臣懼以不效肩責必持舊例譁然阻一人倡議衆人側目未興天下之大利而身先犯天下之大忌盤庚遷殷浮言聒聒故塞洚洞之口易塞道謀之口難自非一旦河自北決於開封以上國家無力以挽回淤高之故道浮議亦無術以阻撓建瓴之新道豈能因敗爲功遂此不幸中之大幸哉吁國家大利大害當改者豈惟一河當改而不改者亦豈惟一河此山東濟南府武定府之大清河與直隸天津直沽口之大清河也南北相距五六百里一係濟水一係衛水判然不同豈二道皆禹河故道而燕薊之水皆南流此北道地高之明證且密邇京師尤不可用惟東道天然大堤深通且爲歷年北決之正溜天造地設更無善於此者胡氏渭衛賈王景不知

復禹河貫州故道未能蕃苟豈殷室五遷爲患之河反勝於漢唐千年無患之河乎僅塞師古無裨實用斯則書生之通蔽已

籌河篇下 魏源

或曰史稱王景治河發卒數十萬修渠築隄自滎陽東至於千乘海口千餘里（千乘今利津縣）商度地勢鑿山阜破砥績（原注砥績山名案績當作碛蓋山麓石碛之入水中者必破去方免礙水道）直截溝澗（遂溝取直）防遏衝要（即今埽壩挑溜攔險）疏決壅積（歲濬河槽別開引河）十里立一水門（說詳下文）簡省役費然猶以百億計（十萬曰億凡用錢千萬貫）明年夏渠成（興工於先年霜降後逾春畢工）詔濱河郡國置河隄員吏如西京舊制（原注引十三州志曰成帝時河隄大壞汎濫青徐兗豫四州乃以校尉王延世領河隄謁者秩千石或名其官爲護都水使者中興以三府掾屬爲之）其法皆與後世治河相彷惟十里立一水門得無分泄水力溜緩沙停蹈賈讓多開渠門之失違潘靳束水攻沙之議曰潘季馴治河亦有閘壩涵洞以殺盛漲而淤窪地與之水門即潘氏之閘洞也更相洄注使無潰漏則水門外必仍有遙隄以範圍之即漢人所謂金隄又謂之石隄者潘氏遙隄相去千丈內有縷隄相去三百丈河槽常行縷隄之中日夜攻沙若水門不在縷隄外遙隄內則一泄不返安能更相洄注而無潰漏耶計王景新河初年渠身尚淺伏秋二汛往往溢出內隄漾至大隄故立水門使游波有所休息不過三四日即退歸河槽故言更相洄注

若數年後新河滌深至五六丈則大汛不復泛過內隄而水門可等虛設故能千年無患然則十里一水門者蓋其開放新河時使皆洄注於內隄左右而非泄水於外隄乎用錢千萬貫不及近世蘭陽武陟大工之半而遂建千載之績何憚而不爲曰王景築隄千餘里用錢千萬貫其時物力視今貴賤懸絕果能以今日銀價合古時錢價耶曰王景之費一由於初創新道故有鑿阜破砥直截溝澗之勞二由於十里立一水門更相洄注也今則因其故道無鑿阜破砥之功是費可省於舊者一水門石工視縷隄土工費倍蓋其時滎陽以東無高厚舊河身之節制恐河南侵故隄防用力若是今則有高厚舊河身以爲南岸即不必立水門不必用縷隄而但築遙隄其北岸亦止須間㧙磚工以護隄與溜費可省於舊者二是今日之事師景而逸於景考河隄土工每方例給銀一錢九分或二錢一分今欲改道必築新隄高丈五尺頂厚三丈底寬十丈五尺計隄長每丈需土百方爲銀二十兩每隄一里需銀二千六百兩除舊河上游即以北隄作南隄卌庸新築及下游大清河兩岸遙隄高廣減半其費較省外統計新河千餘里不過費帑金五六百萬止需目前今河例修一歲之費即可一勞永逸以今之銀五百萬抵漢世之錢千萬貫有餘矣

至東漢濟河員吏秩不過千石且隸於郡國等於椽屬視今日兩總督八道員數十廳營相去懸絕則其歲修工程之無多又可知不獨險工減於後世什九其浮費亦必不及後世什一險工減故官可大裁浮費核則工歸實用故古河員之多寡恒視河務爲盛衰員愈多費愈冗者河必愈壞員愈少費愈節者其河必愈深如曰不然近請視國初遠請視前史或曰孫文定裘文達皆嘗主北流之議然孫公之議則欲於淯舟抵臨淸後即由大淸河入海轉運天津所經海道僅四百餘里皆內海而非大洋並以乾隆三年運登萊米三十萬石由利津至天津一日即至爲證裘公則謂漢明帝時德棣之間河播爲八王景因以成功今八河堙塞難濬不若改由六塘河之省力然耶否耶曰自元明以來知北流之利者如余闕胡世寧及近日胡渭孫星衍不一其人皆無如淯舟之策若言盤隄言海運終不能不兩易其舟即無以杜阻撓之口由其時尚未有灌塘濟運之法故言改河北流必至道光間行之始萬全無失亦事窮則變千載一時至後漢王景傳但言修渠築隄千餘里至海口並無播河爲八之說明帝紀言汴渠決壞六十餘歲王景治之河汴分流是其時河決爲二一由汴一由濟王景塞汴歸濟並不北經德州亦無德棣間先決爲

河南印刷局印

八之事不知裴文達何自得此無稽之語蓋誤認德州之老黃河九河故瀆者以爲王景之河且欲廣其尾閭寬五六十里恣河泛溢與潘靳之長隄束水議正相反地理方向之未辨更何暇與議方略（德州之老黃河乃所謂王莽河也）問曰兗州大清河爲王景故道既可千年無患何以禹河不專行漯川而必兼行故瀆致殷都五遷之患豈禹之智不及景耶曰史言禹以河所從來者高行平地數爲敗乃自冀州引河北行載之高地則是洚水方割之時兗州一望汪洋水中無可施功故從大陸開鑿北行載之高地既稱高地明非天然之壑及兗州水退降邱宅土之後河槽涸出始知濟漯地勢勝於冀州故別斷二渠兼行漯川實則以漯川爲正流而姑留冀州故道爲分派其後冀州高地九河日淤正溜日趨卑地故殷室有五遷之患及周定王後九河故道全塞遂專趨濟漯後漢王景始因禹迹以成功非景之智過於禹所值之時所因之勢過於禹也是大禹初引河北載諸高地者洪水時未竟之功繼又厮渠引河東趨漯川者洪水後講求盡善而王景始成禹之志師景即所以師禹非一時之功實百世之功也

言河　范玉琨

國朝黄河自康熙二十餘年靳文襄公修治以後已無復潘印川之舊其後不守成規而海口之水本深七八丈者浸漸淤墊河底增高由下而上不得不從事隄工凡靳文襄兩岸未曾築隄之處亦一律補築南岸自滎澤之廣武山北岸自武陟之青楓嶺下至海口綿長二千里兩岸土隄聯絡始如宋人所謂貯水於渚矣於是分爲東南兩河設兩河督增設道廳佐武文武員弁不下數百員官雖多而不言治河也不談海口也於是河口日高隄工日增偶一坐灣廂埽抵禦於是冗員而外又添埽工之費歲修隄增遇有潰決堵合或費數十萬或數百萬迨乾隆年間裁革民夫民料凡搶決工需悉發正帑於是遇有漫口非三五百萬及千餘萬不能蕆功至嘉慶八年豫省衡家樓大工共用千有二百餘萬其餘東南兩河無十年不決口者每次三五六百萬即就所親見聞者如河南之三次減壩郭家房陳家房馬港口李家樓于家灣豫東之曹工睢州上汛五堡睢州下汛二堡儀封三堡祥符工中牟工不下四五千萬竭天下之財賦盡供河工之用而庫藏始無存積自靳文襄治河之後迄今百二十餘年矣河底淤高五六丈兩岸隄工亦增至五六丈試以每歲加隄丈尺計之按册而稽必有二三十丈即此加隄之費已有五萬萬矣埽工

河南印刷局印

則數倍之河身墊高之後淸水不出高堰石工隄亦逐年加增又不下三五萬何況嘉慶十一年歲修工料奏定加價一倍乎歷古以來無本朝河費之大也此後水行山阜之上偶有異漲立即潰決恐歲有大工靡帑更無底止其患不堪設想然則今日即復文襄之舊制接築海口長隄仍用混江龍鐵箆子往來疏瀹河可復故乎曰不能也文襄之時內外灘地相平河一刷深淸水即出淸水一出積沙全去易於爲治今則隄外河灘高內地三四五丈矣自衆黃壩以至海口五百里積滿之沙已堅已厚即使仍復舊制非十餘年之功不能有效而此十餘年中上游必有失事之處一經失事全功盡棄且每漫口一次中滿之沙淤積更厚收效更難於一次已成不可救藥之錮疾此皆數十年來但言防河不言治河之所致也然則將如之何曰舊河已無可治非改道不爲功非常之原黎民所懼非黃河自改不爲功此存乎天意而非下士所敢議也

豫河志卷二十八　附著三

河防芻議 劉成忠

治河於千成之歲惟防險而已矣自來防險之法有四一曰埽二曰壩三曰引河四曰重隄四者之中重隄最費而效最大引河之效亞於重隄然有不能成之時又有甫成旋廢之患故古人愼言之壩之費比重隄引河爲省而其用則廣以之挑溜則與引河同以之護岸則與重隄同一事而二美具焉者也埽能禦變於倉卒而費又省故防險以埽爲首然不能經久又有引溜生工之大害就一時言則費似省合數歲言則費極奢矣今重隄引河既不可以猝辦棨襄勤公之碎石壩栗恭勤公之磚壩又皆毀壞殆盡河營之所傳習惟鑲埽一事固已不足以應變而又悉舉前人之埽制而陰壞之務爲苟簡使之易蟄易走易腐以爲請帑加修之地積習相沿不知始於何時雖有賢員莫能自異猶幸咸豐三年以後河由山東入海下游寬廣因而豫省河面低於道光年間者四五六尺不等雖當伏秋之盛漲出槽之時頗少是以二十年來歲修之費不及從前十之二三而全河得以無事近年山東之河自北而南淤墊已徧漸不如前此之河之通暢而豫省伏秋之漲

水亦遂難於消洩霜清已過險報頻聞而歲搶歲修遂一再請增而不能已矣今之久於河者曰治河無他惟多備稭料云爾夫誠能多備稭料亦豈非先事預防之上策然河工之變百出不窮有耳目心思所不及者無料不可以治河而治河之難固非曰吾有料焉遂可畢乃事也若一切機宜審之未當而但恃稭料以爲鑲埽之備埽塾則加埽走則補無埽之地而溜至則又添埽以禦之積而久焉處處皆埽舍舊謀新閱數年必易一次雖有不涸之銅源安能知漏卮之何所底止耶成忠管窺之見竊以爲河工之守險譬如兵家之守城善守城者不待敵已傅城而始登堞以禦之也或驅之境外而使其轉而之他或禦之近郊而使其止而不前迫至萬不得已然後嬰城而守焉誠以守近固不如守遠也埽者嬰城之守也引河則驅敵於境外者也壩則禦之於郊以內壩以外者也重隄之建是棄外城而守內城也若既有重隄又先之以放淤則是不惟守內城直棄平地而守高山也夫吾既驅之於境外又禦之於郊內而又由外城而及內城步步爲營層層設險敵雖強未有不疲而思退者矣意外之患何自生哉此埽壩引河及重隄四者所以缺一不可也然引河用帑動以巨萬計非其地上有吸川之形下有建瓴之勢則雖引而不能

成非開放之後有數日不消之盛漲則灘成而亦旋廢糜餉多而收效少自非合龍之大工未易輕舉成忠徧查成案見乾隆嘉慶時有包灘下埽之法凡大溜塌灘灘雖塌而隄尙遠者即於隄外下埽包灘雖不如引河之能改河溜其爲禦之於境外則一也開河雖而守灘易如今日下南十六堡中河頭堡二堡皆有灘可守之地灘苟不去隄復何患哉其或隄外無灘則當多築挑壩或石或磚或柴或土凡臨黃之隄皆當及早爲之如今日上南八堡至十一堡中河二堡至四堡下南二十堡是也灘不可守壩不及築則其計必出於埽埽者治河之常法凡南河皆用之而獨不宜於豫省靳文襄公所稱河南土性虛鬆下埽難以存立者是也今南岸三廳臨河之地無往非埽而其埽又遠遜於古苟非變而通之一遇頂衝大溜其患將有立覩者雍正以前河南各工用埽絕少惟滎澤北門外護城隄上有埽工一二處其餘每逢溜近皆預築裹隄月隄以待之今雖殘缺猶有存者如上南之裴昌廟中河之頭堡至四堡下南之十七堡至二十六堡是也古人之防險於建壩鑲埽加隄之外先之以引河今引河不用而易以守灘其餘三事悉如其舊亦猶是由遠而近之義也謹條其說如左

河南印刷局印

一曰外灘宜守也黃河之性喜曲惡直曲而向北則南岸生灘而北險曲而向南則北岸生灘而南險是以防河之法但防險工其有灘以爲外蔽者毋庸防也然河流善徙數年中必一變伏秋之時則一日中且數變其變而生險也必自塌灘始灘盡而薄隄薄隄而險必出矣河工之例有守隄而無守灘每當大溜之逼注一日或塌灘數丈甚且至於數十丈司河事者相與瞠目束手而無如之何惟坐待其迫隄然後鑲埽而已至於未雨之綢繆固有所不暇及也夫灘者隄之藩籬也灘存則隄固灘去則隄危幸而灘去隄遠雖一再坍塌不至有嚙隄之慮則誠可以不論耳若頂衝埽灣之溜已塌至距隄百丈之地則不出旬日隄將隨盡安可不爲之所耶咸豐以前河由徐州南下地狹而水易塞河水出槽者十年中常七八見每逢水漲之時灘面低於水面水從灘上攻隄雖有護灘之埽壩但能使灘之不續塌不能使隄之不受攻故守隄常急而守灘似緩然溜力之重輕因乎水勢之深淺愈深則力愈重漸淺則力漸輕假如中泓之水深有二丈灘比隄低一丈河水踰灘而上僅一丈之水力耳若外無此灘則隄前水深三丈而攻隄之溜挾三丈之力矣以三丈之溜力視一丈之溜力其守之難易爲何如也灘遠者不必守灘低者不足

守灘本不塌則無論高低遠近亦皆可以不守若塌形已現地漸近而灘倘高則雖當咸豐以前水易上灘之年古人亦未嘗不設守治河方略云搶救頂衝之法於外灘地面離隄三四十丈飛掘丈許深槽捲下釘埽是守灘之一證也乾隆十一年高文定公奏云近有包灘下埽者水未近隄於河灘近水作壩臺下埽是守灘之又一證也嘉慶十九年黎襄勤公疏云王平莊河勢坐灣旬日塌灘一百七十丈應即就隄外老灘趕鑲句灘大埽挑溜開行是守灘之又一證也成案之班班可考者如此況今日之河與古尤異上灘之時少塌灘之時多往往灘高於水五六七尺大溜一至塌卸不已蓋水之上灘視水面之高低溜之塌灘則視溜頭之向背不能上灘者未嘗不能塌灘也於灘留數武之地即可爲隄減數丈之水即其上灘亦不足患況乎其不能也此今日之河所以必以守灘爲要務也守之之法用埽不如用壩或石或磚皆足弭患若溜勢不大則挂摟防風亦自可用救變於始生遏寇於境外較之坐視其塌必至隄而始議守者非惟省費抑且不瀕於危矣

一日蓋壩宜建也挑溜固隄之方莫善於壩壩者水中之斷隄耳而其爲用則有倍蓰於

河南印刷局印

隄者隄能禦水不能挑水且所禦者爲平漫之水鑲之以埽護之以磚石然後能禦有溜之水然止於禦之而已終不能移其溜而使之遠去也壩之爲制斜插大溜之中溜爲壩阻轉而向外既能使壩前之隄無溜又能使壩下之隄無溜十丈之壩能蓋二十丈之隄因而重之以次而長二壩長於頭壩三壩長於二壩壩至三道之多大溜爲其所挑變直下爲斜射已成熟徑終不能半途而自返非獨六七十丈之內無溜即二三百丈之內亦無溜矣十丈之隄僅能敵十丈之地二十丈之隄僅能敵二十丈之地而壩之爲用獨能以三十丈之斷隄而護三百丈臨河之地事一而功十治河之法未有巧於此者且隄者外水而內田者也萬頃之濤僅此一重之障一經摧陷則隄內更無可據之險幫築裹月費既大而時亦迂倉卒之間往往不及壩則孤於隄外即或坍蟄尙可退守大隄多一重外壩即多一重遮隔而又可多數日之延緩以爲補埽戧隄之地斯又其善之善者也若夫欲水之歸槽則築長壩以逼之欲河之中深則作對壩以激之一切作用皆出於壩壩之功效大矣哉今之道廳非不知用壩勝於用埽歷任河帥屢念宣防深維一勞永逸之計尤孜孜注意於此然而承辦之營員動輒估至萬金或八九千金度支不足添款爲艱

是以屢欲建壩而不果也成忠以理度之一壩之長由七八丈以至十丈寬約二丈高約出水四五尺其初鑲也三面皆水惟背倚大隄一面爲實地今用捆鑲之法以建柴土之壩自隄前起亦三面臨水一面以隄爲實地捆至第二占則以背倚之第一占爲實地由是而三占四占五占皆然至第五占則長已十丈而壩成矣核其丈尺特五段之埽耳埽出水五尺壩出水亦不過五尺埽寬十丈上下皆同壩則面寬六丈底寬十六丈比之於埽特寬八丈耳新埽一段其費約五百金以五段之埽爲一壩則其價特二千五百金也加以繩纜之值雇船之費外鑲邊埽中澆土壩至於四五千金足矣安有萬金之理耶然工員承辦必謂五千金不敷所用今姑不與之辨請以磚壩代之柴土壩易圮易腐故面寬估至八丈若磚壩則四丈已足其底約寬十丈高約二丈計長十丈之磚壩應用磚一千四百方下南磚價每方七千五百文計每壩用錢一萬零五百爲銀六千兩此實砌之磚之方數也磚拋水中欹斜堆疊多有嵌空之處斷不能用至一千四百方則有五千金之帑在下南可成一壩矣上南向不用磚亦無舊磚之可市開窰製造每磚約須十文十一文比下南每方約加銀一兩五錢共約加銀二千兩通計一壩用銀七千兩以每年購

料㖊石之費節省二萬便可成磚壩三座三年之後壩多而埽自省斷不至再有加價之慮矣此亦變通之一法也抑猶有進焉者凡磚石及柴土之壩惟水中始有之若灘上築壩則川土足矣然灘有老灘新灘之分老灘之面比伏秋水面高一二三尺至五六尺不等若於其上築壩則壩在灘上水在灘下壩與水兩不相值惟壩頭臨水可以鑲埽拋石而上首下首不能也大溜一至灘腹淘空動輒塌灘四五丈灘塌而壩隨之雖極穹窿亦歸無益惟新灘之閱二三年者冬春水不上灘可築土壩伏秋有溜鑲埽拋石無溜則聽之比之老灘較爲有用或謂既長新灘是溜勢已去安用此土壩者爲不知黃河工段無定之中原亦有定如下南險工由十七堡以至二十一堡爲歷年搶險之地其中或提或坐小有變遷如同治十年十一年則在二十堡至二十一堡而十八堡以上無事迨十二三年則在十七八堡霜清後直至十六堡而二十堡至二十一堡無事通計此一廳河勢不出此黑岡上下六堡之中已去者未必不來方來者未必不去至於十五堡以上二十二堡以下如魁星樓回回店未始非著名之古險而此數十年中淤閉已久雖置之不問可也今二十堡下之新灘高於水面三尺入伏以後水必上灘有工無工難以預定乘此

尙可築壩之時成壩三座以爲水去復來之備斯未雨綢繆之上策也此外各廳有相同者亦以此法行之每歲可成數壩一朝溜至其守易矣比之磚石柴土豈不效同而費省

說

一曰埽制宜更也河工之用埽自漢已然潘印川靳文襄公之治河凡險要之墻皆恃埽以守禦未嘗以埽爲引溜生工也亦未嘗棄埽而抛磚石也自用柳改而用秸而古法於是一變自横埽蹇爲直埽而古法於是又一變自是以來愈變愈下直至今日而埽遂爲利少害多之物矣成忠宿查成案稱以爲古埽之變爲今埽者其弊有六請得詳而言之治河方略云埽必柳七而草三何也柳多則重而入底然無草則又疏而漏故必骨以柳而肉以草也又曰柳遇水則生草入水而腐爲土性既宜之且又省費而易辦乾隆十九年江督尹文端公奏言河工料物柴柳爲上秸次之柴柳入水耐漚而經久柳質尤重歷埽沈著有力入水經一二十年不腐秸至一二年後朽壞無存柴不如柳然猶勝於秸此皆言鑲埽之物莫良於柳而草則所以補柳之疏漏也有明一代埽皆用柳每高五尺之埽用草六百斤柳三百六十斤柳少則以葦代之無用秸者康熙二十年民柳漸少始勸

各官種柳二十六年以後河工用柳大半取之官柳時或不足亦以蘆葦代之無用秫者名工之用稭見於章奏者自雍正二年河南布政使田文鏡始其時每稭一斤開銷銀一釐是年雲南布政使李衛奏言前三十餘載河不爲患者實河臣靳輔之力彼時沿河種柳今河官取兩岸產柳之地成田納租分肥而稭料則仍派於民奏入乃復申官地產柳之令歷乾隆嘉慶終不能復然如乾隆十八年張家馬路漫工猶草柳並用也由道光至今竟不知埽有用柳之說矣柳質既重歷年又多不用柳而用稭於是遂無三年不換之埽此埽之易柳爲稭者其弊一也埽者河工所常用治河書但謂之埽而已不言爲橫爲直也以捲埽及捆鑲之埽推之則其體宜必橫不橫則埽臺不能捲不橫則船不能捆此理之易見者今河工之埽皆以秫稭之頭向外自頂至踵有直無橫詢之年老之兵弁皆言自古如此成忠詳加考驗始知河工口號凡鑲埽築壩皆有丁順之分直者爲丁橫者爲順乾隆四十七年阿文成公堵青龍岡漫口兩邊進占地勢不順奏言應於上水南首自南釘樁向北進占進至七八占仍向西進占如此丁順做去似爲較穩是則丁順云者一直一橫之謂通工之所習聞者不獨鑲埽然即築壩亦然也治河書無直埽橫埽之說

而有丁埽順埽之名治河方略云禦冰凌之埽必丁頭而無橫何也冰堅鋒利橫下埽則小擦而靡大磕必折也然埽灣之處則丁頭埽又兜溜而易衝必用順埽魚鱗櫛比而下之然後可以擋溜而固隄又云搶救頂衝之法於外灘地內離隄三四十丈飛掘丈許深槽揲做高丈許丁埽先則埋入或百丈或七八十丈下至稍可舒展處爲止若離隄甚近則即於大溜內先用順埽保護一面仍於順埽外揲下丁埽均看大溜長短以定埽筒多少以方略所言合之阿公之奏則丁順即爲橫直而今日之直埽即古之丁埽無疑矣頂衝大溜減不一見今所謂險工大都皆埽灣及被邊之順溜耳埽灣之溜其力亦能塌隄然其深則不過二丈惟用丁埽以兜之然後始至三四丈若順埽則仍止二丈斷無太深之理何以言之凡順下之埽非揲即捆揲做之埽其上必加散料兼壓大土埽爲料土所壓圓者變而爲扁上寬一二丈者其底必至三四丈遞遞而下狀如坦坡此埽之有收分者也捆鑲之埽其初鑲之第一坯雖亦平鋪然其上有船以攔之而其下則任其所之一經加料加土兼之衆夫之齊跳愈跳愈開愈下愈遠其收分較揲做之埽尤大故埽灣之溜至此斜漫而上亦斜拖而下其向前之勢方酣故橫縛之纜能固其在下之力不重故

河南印刷局印

近埽之土無傷有掛溜之工而無兜溜之害埽灣如此絞邊可知此頂衝而外河工所用所以率皆順埽也或有詰之者曰溜莫大於頂衝丁頭埽既能兜溜則頂衝之溜其爲兜也宜益大曷爲不可用於埽灣者反可用於頂衝也且順埽既無兜溜之患曷爲可用於埽灣者又不可用於頂衝也不知頂衝者險工之尤險者也向來失事多由於此必加倍於尋常搶險之法乃可禦之推原頂衝之所由來或因對岸嫩灘兜住溜勢不得遂其就下之性變而橫走直衝本岸或因雞心灘外沓有大河原亦順流東去忽灘而於水漲之時衝開一道有如峽口峽愈長則力愈大從灘之對面捲地而來波瀾雖若排空攻擊實已透底橫安之順埽以千百莖之柴柳排比而成所恃者褁肚之各纜入腹之長椿爲之鈐束一綫頂衝大溜之奔注但揭去迎面一二排之柴柳則纜鬆而依附不固亦椿孤而籤釘皆虛逐浪隨流勢將蕩散即或未散而水力太猛必將埽底之土淘空巨浪一撞翻身入水蓋溜勢長而埽身短雖有收分固不足以相抗也丁頭埽則森然排列左埽與右埽兩兩相依頂衝之所不能折惟搜根淘底之是懼故前人於頂衝之丁埽必捲至丈許之高蓋高既丈許則其長必至十丈次則亦必七八丈以七八丈之長埽挺入河心大溜

能淘深河底三四丈然後能鑽入埽底三四丈前雖懸空後自貼實又有順埽以乘其後重關鎖鍵此其所以雖兜溜而終能禦衝者爲其直而且長也今之丁埽本從省樁省工起見散亂拋擲或距隄一丈或距隄二三丈既無入河七八丈之長徒效其稭根向外變橫爲直屹然如峭壁之立凡順隄紋邊以及埽灣之溜一爲屹立之埽所隔洄漩而入徹底掀翻水深至三四丈則入於埽底者亦三四丈以二三丈長之埽僑寄於三四丈空窩之上其後又無順埽安得不隨溜而走耶栗恭勤公云埽能壓激水勢俯嚙隄根意正謂此且不獨俯嚙隄根也埽根之水深則埽上之數丈與埽之下數丈亦因之而俱深則又添埽添則又加深輾轉相尋爲費無已此自乾隆中葉以後姚高栗諸河帥所以皆有埽能引溜生工之奏以爲非不得已不可以用埽也而不知非埽之本如此也惟丁埽則然此埽之變橫爲直者其弊二也此二弊本原之地已壞仍訛踵謬其弊益多治河方略云除下埽囿仗揪頭滚肚諸繩以拉之月餘即腐朽矣全賴長樁釘埽於下而管束鑲墊於上也乾隆三年日莊恪公奏言捲下大埽非密釘長樁深入老土無以關束而資穩固江南河工杉櫬楊樁並用豫東兩省全用楊樁每年約千餘株在洛陽偃師鞏縣孟津濟

源溫孟等縣購買是由康熙以至乾隆之初未有不用樁者其後以借樁冒銷者多於是合龍大工不准用樁而歲修則猶用之今自丁埽之法行埽前之水動深三四丈雖有長樁不能到底而簽樁之法遂廢夫埽之所以經擊撞而不走者樁固之也今以埽箇浮置於隄外河內之地在中間者猶有左右兩埽夾輔工與工尾則溜至而即走耳此埽之不釘長樁者其弊三也明潘印川河防一覽云埽以土勝爲主諺云鑲埽無法全憑土壓此河工不易之通論軟鑲之例由數寸花土以次遞加至面土三尺而止今秫稭所鑲之丁埽質本易朽水又易深溜到之後往往蟄至兩三次假如埽面土高三尺壓蟄之後土皆入水浪淘波洗頃刻盡矣必又加三尺之料以補之是枉費也河員之不壓大土原亦未嘗無說然而埽無土壓則輕輕則不能入土而易危輕則不能禦溜而易動動輒走埽理固宜然此埽之不壓大土者其弊四也河工之埽舊皆用捲有明一代無捆船兜攬之舉惟靳文襄治河方略於堵塞支河嘗用此法其見於章奏者自乾隆十八年大學士舒公赫德督辦銅山縣漫工始然至將合龍時猶用捲埽也嘉慶道光間始全用軟鑲以爲勝於捲埽蓋以其料皆著底無虛懸偏重之弊也其法誠善而其費則視捲埽爲尤重工員

惟省費之是亟於是歲搶修之埽又變爲推枕鑲用丁而不用順無裹肚之繩無提腦揪梢之纜惟恃兩旁之埽以夾之埽之草率偷減未有甚於此者矣捆鑲行而捲埽廢推枕行而捲埽益廢今八九十之老兵不知捲埽爲何狀設遇頂衝大溜船不能捆其將何以應之此捲埽之失傳其弊五也騎馬之設所以攔迎面加鑲之料使之不散實於順埽爲宜惟捆鑲之埽每占相承迎面無安騎馬之地故於上下水用之非謂必當在兩頭也束薪者不束其腰而以十字架加於首尾能毋散乎今自丁埽之行騎馬皆用於迎面每年所費與順埽略同而得力則迥遜於順埽此騎馬之無用其弊六也凡此諸弊非一朝一夕之故乾隆五十五年有江南老民湯乾學伏闕上言近年河工多故皆由不遵古法所致並條陳捲埽種柳諸事則其時之埽已非康熙以前之埽可知矣今欲漸除諸弊必自變丁爲順始然柳枝不用則埽雖順而歷時不能久亦終無以善其後種柳之事非三五年不能成順埽則隨時可易然變推枕爲捆鑲其費不止加倍在廳員既無此力且已成之埽亦未可一朝遽廢也成忠悉心籌議如舊埽之前溜勢著重莫著於多抛塼石以衛其足以深二丈厚三尺計之每一丈之埽當用塼石六方抛至四五十丈溜勢必可稍減

河南印刷局印

然用塼石已三百方矣今塼石之堆大抵多虛少實其在岸有三百方之積者入水之後不知用至若干而後有三百方之用也此一難也其本無埽段之地一朝溜至莫善於改鑲順埽然順埽之繩橛人工皆數倍於丁埽其費固已不貲又捲埽之法無一人能任之者捆鑲則非船不可新生之險急於星火雖繩橛亦苦不應手又安得船耶是又一難也必不得已而思其次其惟留磴乎其法於新生之埽本擬面寬一丈者頭坯加寬至四丈其後每加鑲尺餘即收進一尺約計埽高二丈可收進一丈五尺埽面之寬但存一丈層層收縮有如磴然乾隆時常行之節省鑲埽之費以爲培高隄岸之用行之未久或有謂其無益者其事遂罷以今思之省費誠亦無多然逐層留磴則雖在丁埽亦有收分不至有兜溜淘深之懼是無易丁爲順之名而有易丁爲順之實埽前之水斷不能深至三丈也成忠嘗詢之營員或以爲可或以爲不可姑試行之較之變推枕爲捆鑲者其費究可大減也若誠無益則惟捆鑲及塼石而已百年之弊非一日所能除亦非一言所可盡爲之以漸庶幾尚有復古之日歟

一日重隄宜築也自明潘宮保之治河即有縷隄遙隄之制河防一覽所載河圖自滎澤

武陟以至雲梯關未有不兩隄者又兼築月隄格隄於中略如今之圈埝靳文襄公因之雖徐州之下地勢太狹間有不築遥隄以省費者然遥縷並見者固十之七八也當明季及順治年間黃河之患惟河南爲甚説見順治十八年十月總河宮保朱公梅麓奏中迨靳文襄公總督河南其時爲康熙十六年距朱公具疏時僅十六七年耳而其見於文襄公之書者一則曰徐州以上隄因河深絶無河患再則曰治河之事莫難於保險開歸以下隄多者至四五重無甚險薦後情形其不同也如此成忠查河南通志自順治八年總河楊公茂勳始築隄之役無歲無之朱宮保在任十年設因地遠近以次調夫之法民服其公所築尤多自是歲以爲常起順治八年終康熙二十九年計四十年中築隄凡一百八十三處此靳文襄公所以羨中州黃河兩岸遥隄格隄月隄之多而自隄成之後所以直至康熙之六十年僅決詹家店之一處也重隄之大效如此今河南南北兩岸舊隄猶有存者然殘缺已甚稍完整者不及十處欲一一修而補之誠非容易然每年塼石廂稭之外例有土工銀三四萬兩營汛各員賴此自效此本有之款不待加增者現在有工之處隄面寬皆八丈十丈並有過十丈者此近年整頓河工之成效迥非四五年前之比既

已高厚堅整矣歲支土工之銀尚有贏者正可加築重隄先自有工之處始次及雖無工而不可恃者然後再於最要之處修其重隄後之重隄如下南十七堡圈埝之外又有十七堡至二十六堡之大圈埝是已期以十年舊隄盡復然後再議其他如是者有大利二焉一曰水戧凡隄危急之時搶築隄裏謂之幫裏戧水戧云者不戧以土而戧以水也非大溜不能塌隄既塌隄矣多築二三丈之裏戧是否有濟殊不可知惟於重隄之處預築格隄以成圈埝一旦事急竟從隄之下游開口放水使內塘先爲水據則外隄有所憑以爲固所謂戧也河防一覽圖內說之甚詳以爲治河之法莫妙於此今人不加深考往往疑畏不知南河險工賴此保全者多矣且非獨南河也河渠紀聞云江南遇大水樓隄著重時每開倒鉤放水入內豫省沙鬆多不輕放然如銅瓦廂古稱極險加築月隄每歲增培至乾隆乙卯大溜曲注危險異常開倒鉤引入內塘登時灌滿水仍外出頂溜開行此其驗也黃河之溜短則力猛長則氣衰凡頂衝埽灣之最險者其對面兜溜之灘及出峽之口大都皆一望可見爲其近也若放入內埝則經行之地又多百十餘丈水已伸腰其險自平況倒鉤引水必在不甚迎溜之處俄頃之間水已灌滿以水擠水外隄未必再塌

即或埽開亦無跌塘之勢混茫一片仍從所放之缺口入河耳何險之不可保哉一曰放淤其法與水戧相同惟水戧當溜注之時開下口者居多不敢於迎溜之處又開上口若放淤則多於無溜處行之從上口灌入從下口放出每歲可淤高三四尺積三五歲内塘之地高與河平可以永無河患康熙三十一年靳文襄公再任總河上河工守城疏云臣輔前任内曾將邳州董家堂桃源縣龍窩二處險工擇埽臺上下建設涵洞引黃灌注復於月隄亦建涵洞使清水流出月隄之外隄裏窪地不久淤成平陸不但隄根牢固而每年取土亦易又云臣輔復任以來見邳州舊城迤西周圍約有百里地勢卑窪四面皆高以致所淹之水永無去路臣以為此亦可借黃以淤之者也臣輔在任時徐州長樊壩險工隄裏窪地甚多涵洞不足淤灌遂於埽臺下首掘開丈許之口引黃內灌伏秋一過自然挂口仍將掘口之處堵塞數月間已淤高二三尺矣今邳州亦宜仿此行之其清水亦可引之運河而去或慮掘隄可慮不妨建設小閘更為萬全云自公上此疏後歷數十年放淤之法大行乾隆二十一年行之於石林二十九年行之於夏家馬路三十年行之於孫家集三十一年行之於蔡家樓三十三年行之於徐家莊嘉慶二十一年行之於李家

莊更有賈家莊七里溝朱家壩曹工大壩等處見於大學士吳公松圃疏者其歲月今不可考矣伏查黃河之患在兩隄中者莫大於積水傷隄而無寸土之可取在兩隄外距河數十里百里者莫大於田爲沙壓無地可耕今若行此放淤之法如上南之鄭州十堡十一堡中河之中牟上汛四五堡下南之二十堡至二十六堡或開倒鉤之渠掘隄放入或砌涵洞或建小閘從大溜所背之地施工斷不致有奪溜之患一二年後兩隄之間水去淤留即不能高與隄平亦可免無土可取之患若夫利之尤大者如今日鄭州中牟祥符凡在賈魯河之北者歷年爲河工漫口所經飛沙極目杳無居人昔日膏腴皆成棄地小民疾首蹙額而無如之何若相度形勢於有隄埝之地內外皆設洞閘俾隄前平漫之水從閘洞放至平地其水歸入賈魯河所挾之淤必留於經過之處諺云緊沙漫淤凡漫水未有挾沙而行者沙壓之地皆昔年之急溜也如是行之數年之後斥鹵變爲膏腴歲增民食官租以巨萬計眞無窮之大利哉

以上四事守灘必購埽石甃壩則埽石柴土皆可爲之因時因地惟費之省者是宜耳埽之弊最多最久一朝易之夫豈易言近時名臣如棻襄勤公栗恭勤公其於埽之利弊知

之深矣其所以變而用塼石者誠以多年積弊非旦夕可除也變埽爲壩又變搶埽之壩爲內土外塼石之壩此前賢救急之良法欲求速效惟此爲宜其次則以塼石衛埽根又其次則試行留磴之法爲之以漸或者其有瘳乎重隄之保險放淤不獨免河之害兼欲收河之利治河無上策此則庶幾上策歟然而知之者以爲大利不知者或且以爲大害姑存此說以待事機之會耳保險之法之可言者大略不外此四事至於治河之本尙有其遠且大者則非淺見之所能知也

籌河論上 宗源瀚

光緒十三年八月十三夜河南鄭州下汛石橋決口於是朝野上下無不皇皇以不能塞決爲憂竊以爲此不足憂也前明河防被大害興大役者五十餘我朝二百餘年東南兩河除平漫不計外奪溜大工亦三十九次未有不能塞者咸豐五年銅瓦廂決口時値用兵無暇興大役且欲試行北流工遂未舉非不能塞也豫河之工在北岸難在南岸易南岸口門水深溜急者難口門水不甚深者易康熙六十年之馬營口乾隆四十六年之靑龍岡工閱三年而後成靑龍岡以徙隄徙城用帑至二千萬嘉慶八年之衡家樓二十四

河南印刷局印

年之馬營壩雖皆秋決春塞然一則用料至二萬數千垛至今談者變色皆北岸也若南岸則不至乎是南岸如乾隆四十三年祥符儀封五壩於垂成道光二十三年中牟九堡將合時亦進失五占然一則口門水深十一丈一則口門水深九丈也且初工雖未就而守其已築之壩至次冬旋合此外南岸之工如中牟楊橋考城五堡張家油房睢州二堡五堡十三堡儀封三堡祥符三十一堡或不三月或不兩月其棘手者亦僅至次年正二月迄工今鄭工居南岸文成阿桂奏議云滎澤鄭州距廣武山甚近土性高堅聞決口以後水平溜緩非甚難措手之工也豈有不能合龍之理故曰不足憂也雖然有可憂者口門太巨興工太遲集料太艱本朝三十九次大工與文襄靳輔連塞南河二十一口口門或數十丈或一二百丈未聞有五六百丈之事最大者乾隆中中牟楊橋嘉慶中武陟馬營壩道光中中牟九堡亦僅三百餘丈耳若南河雲梯關外陳家埔馬港口隄卑防懈迴聚內地馬港口稱七百丈然近海溜緩且過水亦祗三百餘丈而止今鄭工乃至五百五十餘丈創巨痛深其由來殆非一日自來霜降水弱大工畢興極遲冬十月十一月今十二月中旬始定計正月初間始築東壩距清明桃汛不足兩月工則緊時

則迫矣料爲塞決之大需猶用兵必先籌餉未有無芻糧而能用士卒以制勝者乾隆三十一年銅沛廳韓家堂漫口特旨著豫撫將存工料物由黄河運用即徐屬大工辦料亦必擇上游銅沛蕭碭豈可以順流運送者乾隆三十九年清河老壩口之決甫報三十餘丈即奉旨恐江南所產之料不敷著豫東兩省豫備蓋於其先事以計慮周密惟恐其或滯也嘉慶四年南河邵家壩漫口吳總河璥疏言堵工首在物料應手始能一氣呵成近工多係災區下游又不通水路遠處搜買運費倍增一垛需數垛之價來路愈遠到工愈緩一遇陰雨泥濘更多運滯料販刁詐成習遠者固以挽運昂價近者亦或囤積居奇委員於本工設廠招收之外又於豫東連界分設數廠俾料戶有各路率制不得逞其壟斷又肉民之不信官也奏明另加幫價照民間時値交易大張曉示公平現價委員發銀領辦仍設法令地方道縣勸令馴善之戶先辦若干以爲之倡遠近民人目覩其利始肇運以來漸次雲集蓋於其既事又多方計畫惟恐欲其入而閉之門也凡所以爲絕大之工急待之料不如是不足以集吾事也近年山東派州縣辦料已成弊政非不發款也而先料而後銀輾轉詳稟姑無論其勒耗之累官何如試問州縣豈能墊豈肯墊遂亦以先料

後銀之術施之於民夫上司施之於州縣雖後猶有著也州縣施之於民日後則竟無著矣非必官盡入橐也轉發有紳董保長官日吾以丁役轉運待次候時領費兌價又各耗若干加之以延欠侵挪而僅萬人區區之微價尚能到茅簷蔀屋中乎且也持養命之料易無著之價而猶必自備舟車牛贏喘汗飢疲送之縣城挽之工次其中苛索勒詐廢時輟業弊害不可勝言派一縣辦而一縣騷然派通省辦而通省騷然也今河南乃效法山東於工之初起奏內已明言送掮奇險陳料已空旱潦不時新料短少而日攤派六十州縣嚴定功過勒限購運夏邑等縣推波助浪又於派料之外用兵差例派車道路洶洶遂至圍署傷官而民亦搶掠傳聞竟有焚料以自衛者九月已備興工而十一月奏請正料尚不足十分之一今年正月東壩儲料尚缺一千七百垜料愈短而工愈延工愈延而合龍之期愈杳所謂欲速反遲似省而費矣九月十一日諭旨即著部庫先撥銀二百萬兩仍續籌的款源源接濟未到以前准由司庫提款應用飭令趕集物料乘霜清水落之日節節進占廟堂之謨同符祖武聖明在上知必先有銀而後可以辦料也乃不一律發款採買而派州縣辦料慮民間之少料乎州縣豈能爲無米之炊慮公平收買之昂價乎嘉

慶十一年欽奉硃諭河工至要民命攸關總不必存惜費之見十二年南河以工料增昂臚款奏定照例價加增仍聲明設遇漫口大工事非恒有准臨時據實陳奏是以十一年郭家房及王營減壩十三年馬港口十六年李家樓諸工均奏准確按時價加增採辦工程緊急祗求料物應手不能再計價值況豫省向有奏明例外幫價攤征攤捐歸款之案皆見於總河吳璥之奏疏雖攤征攤捐亦不能無弊然較之令州縣張空弮以迫取於民猶爲彼善於此且州縣雖受勒迫終亦必昂其值似節而仍濫也州縣亦非人人不可辦料惟先料後銀與領銀辦料一轉移間而利鈍迥別價不吝而料大來料大來而價必落善持籌者無濫費似寬而仍嚴也杜浮冒在任忠信豈在吝出納乎觀李薛兩星使合疏之詞曰州縣既無鉅款民力亦咸不堪艱迫情形盡此二語矣夫使民疑極易使民信極難既見信[illegible]民亦必不已中途易轍然民或疑其初而不信其終則有吳總河辦邵家壩工之出示信勸馴戶爲倡之成法在今春不能合龍必仿中牟諸工將已築之壩設法防守俟秋後興辦股埽在前購料有法故不惜反復切論若夫探源之計則既事而購料不若先事而儲料康雍以前鑲埽猶用柳斫文襄治河書柳過水則生草過水而腐當

風廼溜柳七而草三勤恪齊蘇勸奏東埽以柳爲骨則工堅而帑省柳不敗始代之以葦
柴文端尹繼善亦奏柴柳入水耐漚而經久稭次之故當時河工文武有栽柳之額數額
外之議叙河兵歲有栽柳百株之課不如數者河弁有罰士民亦有栽柳種葦議叙頂戴
之成例必使近工處柳葦成林蔓延遍野不盡用秫稭也嘉道間南河奏明徐屬用稭海
屬揚屬用海柴葦柴文敏百齡整頓南河葦蕩營雖中有齮齕然額柴三百十六萬束至
嘉慶十七年報採至六百餘萬束見之工部奏疏而中衢一勺中尚言辦理之未能如法
未盡其量海柴即葦柴之類凡沿海沿湖灘地皆有豫省稍難東省則甚多南河無工有
料更宜力謀以濟鄰封在有心有力者毅然殷然力籌大本足無事時之修防備有事時
之攟取省千百萬之國帑蘇億萬姓之苛派夫豈難哉至於大工重三埽曰大埽二埽挑
水埽皆爲要著而尤在埽基之得地得勢二埽相地形或省或否然有工竣而補二埽者
則二埽亦非竟無用挑水埽與引河相呼吸無挑水埽則引河將不能得力此三十九次
大工歷有成案可考凡習河事者類皆知之而能言之故不具論中篇論挽復故道下篇論導淮皆與東河無涉故不

後記

我是從數學史學習中逐步瞭解治黄史的。漢代《許商算術》的作者許商，好天文術數之事的王景、李尋善，他們既是數學家，又以治理黄河而聞名。我國現存最早的河工著作《河防通議》，將中國古典數學天元術運用到治黄工程中，創造了中國古代工程數學的一個高峰。除了數學史之外，内蒙古師範大學科學技術史研究還以少數民族科技史和地方科技史見長。李迪先生曾指出地方科技史研究的重要内容是人與自然環境變遷、科技遺迹與自然環境以及環境與生産的關係，此類研究具有明顯的現實意義和重要價值。想要通過大科學史研究，弄清變遷的原因和未來的發展趨勢，産出對于地方各方面的開發有更大、更直接價值的成果，這類研究大多離不開文獻。之後，李迪先生更是直接指出科技史研究不僅是對過去的科技工作和科技成果的回顧與總結，而且要着眼于現代，讓古人的發明創造爲今人服務，繼續在現代發揮其應有的作用。我將先生大科學史的治學理念視爲座右銘，在科研工作中更加注重讓科研成果服務于國家戰略與區域發展需求。

二〇一九年九月，習近平總書記在黄河流域生態保護和高質量發展座談會上指出，黄河流域在我國經濟社會發展和生態安全方面具有十分重要的地位。黄河流域生態保護和高質量發展是重大國家戰略。同年十月，黨的十九屆四中全會提出『加强邊疆治理，推進興邊富民』，首次把邊疆治理寫入黨的文件。内蒙古師範大學組織科研力量，積極申報研究闡釋黨的十九届四中全會精神的國家社科基金重大項目，其中『中國特色社會主義民族區域自治制度自信研究』項目獲批。我承擔其中的『鑄牢中華民族共同體意識下的民族自治地方文化自信研究』子課題，而黄河是首選文化要素。二〇二四年，該項目順利結項，我也對黄河文化所藴含的時代價值有了更深的體會。

有鑒于此，我帶領文化遺産智能應用服務中華民族共同體建設『英才興蒙』團隊，以黄河爲主題，開展了文獻、文物、傳統工藝等多模態資源庫建設和跨模態應用示範工作。這次與内蒙古人民出版社合作出版的《黄河國家治理文獻集成》，旨在梳理和總結文獻中所藴含的歷史經驗和文化信息，爲當代及未來的黄河治理和地方文旅産業發展提供參考與借鑒。

感謝内蒙古民族文化産業研究院、巴彦淖爾市圖書館等单位的傾力相助，感謝内蒙古自治區黨委宣傳部、内蒙古出版集團、内蒙古人民出版社對本項目的支持與幫助。

在此，也向致力于黄河治理和大河安瀾的歷代先賢與當代典範表達崇高的敬意：你們的不懈努力與無私奉獻，爲黄河的安寧與人民的福祉築起了堅實的防綫；你們的智慧與勇氣，將永遠銘刻在中華民族的歷史豐碑上，激勵後人不斷前行。

董杰

二〇二五年一月